Les Éditions du Boréal
4447, rue Saint-Denis
Montréal (Québec) H2J 2L2
www.editionsboreal.qc.ca

# NOUS N'IRONS PLUS JOUER DANS L'ÎLE

DU MÊME AUTEUR

*Mademoiselle J.-J.*, Stanké, Montréal, 2001.

*Un grand fleuve si tranquille*, Éditions du Boréal, coll. « Boréal Inter », Montréal, 2003.

Louise Turcot

# NOUS N'IRONS PLUS JOUER DANS L'ÎLE



Boréal

Les Éditions du Boréal remercient le Conseil des Arts du Canada ainsi que le ministère du Patrimoine canadien et la SODEC pour leur soutien financier.

Les Éditions du Boréal bénéficient également du Programme de crédit d'impôt pour l'édition de livres du gouvernement du Québec.

Couverture : Marie Lafrance


Dépôt légal : 3e trimestre 2004
Bibliothèque nationale du Québec

Diffusion au Canada : Dimedia
Diffusion et distribution en Europe : Les Éditions du Seuil

*Données de catalogage avant publication (Canada)*

Turcot, Louise

Nous n'irons plus jouer dans l'île

(Boréal inter ; 42)

Pour les jeunes de 10 ans et plus

ISBN 2-7646-0333-9

I. Titre. II. Collection.

PS8589.U612N68 2004 C843'.6 C2004-940978-6

PS9589.U612N68 2004

## 1

# Rien ne va plus

Lundi 1er juillet 1957
1 heure de l'après-midi

— Maman ! t'aurais pas vu mon foulard bleu ?

La voix de Lulu trahissait son impatience. Elle résonna dans le petit appartement tranquille où Hélène, toujours calme, mettait la main aux derniers préparatifs de leur voyage.

— Il doit être là où tu l'as rangé, ma grande, répondit-elle en soupirant.

Sa fille leva les yeux au ciel. « Tu parles d'une réponse ! »

Lulu s'en voulait de s'être levée si tard. Depuis la fin des classes, elle aimait flâner au lit le matin et suivre, à moitié endormie, le parcours du soleil à travers les rideaux de sa chambre. Elle ne se décidait à se lever que quand elle en avait assez de rêvasser ; même aujourd'hui, elle n'avait pu résister à l'envie de paresser un peu, alors qu'elle avait tant de choses à faire. « Mon Dieu ! j'ai des papillons dans l'estomac ! » se dit-elle. Rien ne semblait se passer comme elle l'avait prévu.

— Maman ! c'est bizarre, je ne trouve plus mes petites barrettes…

— Elles sont là où tu les as laissées !… Juste à côté de la baignoire.

Lulu se rua vers la salle de bain et, ne voyant pas ses barrettes qui étaient cachées sous une serviette, se mit à hurler :

— Où ça ?

— Lulu, arrête de crier ! lui ordonna sa mère. L'autobus part à trois heures, tu as intérêt à respirer par le nez et à te concentrer, ma fille.

Le silence se fit.

« Je n'ai jamais tant souhaité partir en vacances ! » pensa Hélène.

Chaque année, après la fin des classes, c'était le grand branle-bas de combat dans la maison. Les Côté, mère et fille, se préparaient à aller passer l'été à l'île aux Cerises, chez les grands-parents paternels de Lulu, Alice et Léon.

Et comme chaque année, c'était l'occasion pour Hélène de se laisser emporter par la frénésie du ménage.

Lulu se demandait : « Qu'est-ce qui peut bien pousser les mamans à toujours vouloir que chaque chose soit à sa place ? »

Après avoir frotté et astiqué jusqu'au moindre bibelot, Hélène avait confié les plantes à sa voisine Marcelle, elle avait vidé le frigo, et... Seule l'heure du départ pouvait mettre un terme à son désir irrésistible que tout fût parfait !

La pauvre Lulu était bien loin de pouvoir rivaliser avec les aspirations maternelles. Sa chambre était un fouillis indescriptible, et toutes ses tentatives pour y mettre de l'ordre étaient vouées à l'échec. Lulu avait beaucoup de mal à faire une seule chose à la fois ! Chaque tâche commencée était vite abandonnée au profit d'une autre qui lui paraissait plus importante et plus urgente. C'est ainsi que sa chambre était devenue un fourbi où même une chatte n'aurait pas retrouvé ses petits !

« Voyons, c'est bizarre... Où est-ce que j'ai bien pu mettre mon journal intime ? » se dit-elle en s'écrasant sur son lit défait.

Elle écrivait depuis longtemps ses pensées les plus secrètes dans un journal fermé à clé qu'elle avait l'habitude de ranger sous son oreiller, mais...

Elle croisa son image dans le miroir et soupira encore une fois : « Je suis affreuse !... C'est épouvantable ! On dirait que j'ai un cactus sur la tête ! Tout le monde va rire de moi. »

Ses amies se moquaient volontiers de sa tignasse épaisse et bouclée qui frisait à l'excès sous l'effet de l'humidité. Hélène, qui n'en pouvait plus de l'entendre se plaindre de sa toison rebelle, avait décidé de prendre les choses en main avant les grandes vacances. Armée de ses meilleurs ciseaux, elle avait taillé et réduit de moitié l'énorme chevelure malgré les cris et les protestations de sa fille qui n'arrêtait pas de gesticuler sur sa chaise. Satisfaite du résultat, Hélène avait déclaré : « Tu es ravissante, ma chérie ! » Lulu, en colère, avait couru se réfugier dans sa chambre, refusant de balayer le plancher où chaque petite boucle de cheveux semblait lui reprocher d'avoir été sacrifiée.

La jeune fille se tourna de profil devant le miroir. C'était encore pire ! « On dirait que j'ai une queue de canard ! » s'exclama-t-elle, horrifiée. Elle eut beau se faire des sourires aguichants, mettre ses lèvres en cœur comme une actrice de cinéma, rien ne pouvait améliorer à ses yeux sa nouvelle coupe de cheveux. « C'est une catastrophe ! » Telle fut sa conclusion définitive.

Lulu allait avoir quatorze ans à la fin de l'été. Pendant des années, elle avait toujours été la plus petite de sa classe, et voilà que, ces derniers mois, elle s'était mise à pousser *comme de la mauvaise herbe* ! C'est ce que lui dirait sûrement grand-maman Alice quand elle la verrait arriver à l'île aux Cerises. Lulu ne ratait jamais une occasion de vérifier sa nouvelle allure dans tout ce qui pouvait ressembler à un miroir. Parfois, elle se trouvait presque jolie, mais… « Pourquoi est-ce que je suis née avec des cheveux si affreux ? ! » se répétait-elle tous les jours.

Elle plongea sous le lit à la recherche de son journal qu'elle ne put trouver parmi toutes les choses accumulées là depuis son dernier grand ménage qui remontait au congé de Pâques.

— Maman ! on m'a volé mon journal !

Hélène poussa un long soupir. « Encore un drame ! » se dit-elle. Quand Lulu se décidait enfin à faire sa valise, on pouvait s'attendre au pire.

— Regarde sous ton oreiller, ma grande.

— Ben non, justement, il n'est pas là. C'est bizarre ! Je me souviens très bien de l'avoir rangé là, hier soir… Il est plus là ! Maman !… Maman ! est-ce que tu m'entends ?

— Oui ! Même la voisine doit t'entendre, répondit Hélène en entrant dans la chambre de sa fille.

Le désordre qu'elle y trouva dépassait ce qu'elle avait pu imaginer de pire. Le beau couvre-lit fleuri, qu'elle venait à peine de lui acheter, traînait par terre et les draps roulés en boule laissaient voir le matelas. Lulu avait les cheveux en bataille, elle était encore en pyjama et le plancher de sa chambre était jonché de cahiers d'école, de vêtements éparpillés et de papiers chiffonnés qu'elle piétinait, dans l'espoir d'y retrouver son précieux journal.

— Qu'est-ce que c'est que cette pagaïe, ma fille ? (Hélène était devenue très pâle et sa voix avait perdu de sa belle assurance.) Comment peux-tu espérer trouver quelque chose dans une chambre qui est sens dessus dessous ?

— Je sais très bien où sont mes choses, tu sauras, et je me souviens très bien d'avoir mis mon journal à sa place, lui répondit Lulu avec insolence, en soulevant une pile de papiers qu'elle jeta sur son lit.

— Enfin, calme-toi !

— Comment veux-tu que je me calme ? Quelqu'un me l'a pris, c'est sûr ! Il a quand même pas disparu par magie.

— Peut-être que tu l'as apporté dans une autre pièce de la maison et que…

— Jamais !… Je ne fais jamais ça !

Elle se mit à pleurer. Hélène ne comprenait plus rien.

Lulu était de mauvaise humeur depuis quelques jours. Pourtant, c'était le début des grandes vacances à l'île aux Cerises qu'elle attendait depuis si longtemps.

L'île aux Cerises, pour Lulu, c'était la récompense d'une année scolaire remplie d'efforts (pas toujours suffisants au dire de sa mère !) et de sacrifices (pourquoi faut-il qu'il y ait tant de devoirs ? !).

C'était la grande liberté en compagnie de sa cousine

Estelle qu'elle aimait comme une sœur, de son cousin Michel, qui avait plus d'un tour dans son sac, et de tous leurs amis qui l'attendaient avec impatience.

C'était le plaisir de pouvoir jouer tous les jours avec Good Night, le petit terrier qu'elle avait mystérieusement trouvé dans un ruisseau, l'été de ses onze ans, et qui ressemblait comme deux gouttes d'eau au chien qu'elle avait vu si souvent dans ses rêves.

C'était passer de belles heures avec grand-maman Alice, sa joie de vivre, ses chansons incroyables et son grand cœur ; avec grand-papa Léon, dont les silences étaient pleins d'affection.

L'île aux Cerises, c'était aussi vivre comme dans l'ancien temps, sans électricité, sans salle de bain ! Marcher pieds nus sous la pluie, aller à la pêche à la barbote, se gaver de framboises et de cerises sauvages, manger des guimauves grillées autour d'un feu de camp et compter les étoiles filantes !

Toute son enfance était liée à cette île et à ce grand fleuve Saint-Laurent qui l'encerclait en douceur. L'été de ses onze ans, Lulu avait découvert que le fleuve était le grand responsable de la mort de son père. C'était arrivé juste avant sa naissance. Une vieille histoire qu'on lui avait cachée pendant toutes ces années. Son père, Lucien, avait trouvé la mort dans le fleuve pendant une énorme tempête, et son corps à tout jamais perdu habitait maintenant le monde mystérieux et profond des courants qui s'en vont vers la mer. Lulu avait pleuré, elle s'était mise en colère, et puis elle avait pardonné. C'est ainsi que le Saint-Laurent lui était devenu encore plus cher… Il faisait partie de sa famille.

— Allons, ma grande, range ta chambre et finis ta valise, d'accord ? dit Hélène en lui prenant la main.

Lulu ne se laissa pas amadouer et lui lança dans un seul souffle :

— Si je ne retrouve pas mon journal, je ne pars pas, tu m'entends ? Je ne pars pas. Je reste ici tant que je ne l'aurai pas.

Elle s'entêtait. Qu'est-ce que tout ça pouvait bien signifier ?

Hélène, qui cherchait une solution rapide, lui proposa d'en acheter un autre avant de partir.

— Mais tu ne comprends pas ! C'est le mien que je veux ! Le mien ! dit-elle en se remettant à pleurer de plus belle.

Sa mère s'imaginait-elle vraiment que la perspective d'acheter un nouveau journal suffirait à la consoler ?

Qu'est-ce qu'il pouvait bien y avoir de si important dans ce journal pour que Lulu réagisse avec tant d'ardeur ?

Hélène avait bien une petite idée sur ce qui pouvait rendre sa Lulu aussi fébrile. Comme on disait à cette époque, elle n'était pas encore une « grande fille » !

Chaque fois que Lulu perdait patience ou se montrait nerveuse, sa mère était persuadée que le grand événement était sur le point d'arriver. Même si elle savait que sa remarque ne ferait que jeter de l'huile sur le feu, Hélène ne put s'empêcher de lui dire :

— N'oublie pas d'apporter tes serviettes et ta ceinture sanitaires, ma fille, je suis sûre que tu vas en avoir besoin très bientôt.

— Quoi ? fit Lulu, la tête plongée dans son vieux coffre à jouets dont elle n'avait jamais voulu se séparer.

— Ne fais pas semblant de ne pas avoir compris !

— Maman ! je n'ai pas le temps de te répondre. Je cherche ! dit-elle en essuyant ses larmes. Et toi aussi, tu devrais chercher. Il est quelque part dans la maison, j'en suis sûre. Tu as dû le ramasser et le mettre dans un endroit bizarre. Tu fais ça tout le temps quand tu viens faire mon lit.

— Eh bien ! ça me semble évident que je n'ai pas fait ton lit récemment ! Et cesse d'employer le mot « bizarre », s'il te plaît.

Hélène se leva et se dirigea vers la porte. Avant de sortir, elle dit :

— Tu as une heure pour mettre cette chambre en ordre, finir ta valise et t'habiller proprement. Je ne veux plus entendre parler de ce journal, c'est compris ?

Elle n'attendit pas la réponse de sa fille et se dirigea vers la cuisine.

— Je ne veux plus y aller à l'île aux Cerises. Tu m'entends ? Je ne veux plus y aller, l'entendit-elle crier au bout du couloir.

Lulu claqua la porte de sa chambre.

« Patience ! se dit Hélène. Je finirai bien par découvrir le fin fond de l'histoire. Je vais quand même jeter un coup d'œil dans le salon et la cuisine… Si je pouvais mettre la main sur ce fameux journal… On ne sait jamais… »

Lulu, encore tremblante de s'être emportée, s'assit un moment sur son lit. Ses mots avaient dépassé sa pensée. Elle n'y pouvait rien, c'était toujours comme ça quand quelque chose lui tenait à cœur. Sa colère était une petite bête imprévisible qui pouvait d'un seul coup se transformer en monstre sans lui demander la permission.

Elle s'essuya les yeux et se regarda dans le miroir de sa coiffeuse. « Bon, en plus d'avoir les cheveux en l'air, j'ai les yeux gonflés maintenant et les joues toutes rouges. Je suis affreuse, affreuse ! » Elle refoula ses larmes et commença à mettre de l'ordre dans sa chambre.

Hélène fit le tour de l'appartement sans succès. Pour une raison qu'elle ne comprenait pas, ses pas la ramenaient toujours vers le hall d'entrée. Elle eut soudain une idée. « Mais oui ! se dit-elle, je me souviens… J'ai trouvé le journal par terre, et je l'ai ramassé pour nettoyer le plancher. Qu'est-ce que j'ai bien pu en faire après ? »

Lulu s'inquiétait. Et si sa mère réussissait à trouver

son journal, aurait-elle la tentation de l'ouvrir ? « Non, maman n'oserait jamais... Puis avec mon cadenas, c'est impossible... Oh ! mon Dieu ! faites que ce soit vrai... »

Lulu pour se calmer décida de s'habiller ; elle eut du mal à choisir entre sa nouvelle robe à carreaux, serrée à la taille, qui lui donnait l'air d'avoir quinze ans, au moins ! ou sa jupe paysanne à fleurs jaunes qui ondulait si bien quand elle marchait. « On dirait que j'ai engraissé ! se dit-elle en catastrophe. Mais qu'est-ce que je vais me mettre ? »

« Tiens, c'est curieux ! » se dit Hélène, qui avait poussé ses recherches jusque sur la galerie arrière. « La porte du cabanon n'est pas fermée à clé... Pourtant, je suis certaine de... »

Elle ouvrit la porte et son pied buta sur quelque chose de mou qui traînait par terre. C'était un vieux sac de toile où elle avait l'habitude de ranger les vêtements qu'elle destinait à la Saint-Vincent de Paul.

« Oui ! c'est ça ! J'ai voulu mettre dans le sac les vieux pantalons de Lulu et comme j'avais aussi à la main... le journal... j'ai dû le déposer tout près... »

Elle ne mit pas grand temps à l'apercevoir. Sa couverture glacée brillait dans le noir. Le journal était là, à ses pieds, là où elle-même l'avait laissé.

Hélène allait se précipiter dans la chambre de sa fille, quand un petit papier s'échappa du journal et attira son attention. Intriguée, elle se pencha pour le ramasser. Ce n'était pas un papier. C'était une photo, du genre de celles que l'on prend à l'école, chaque année, et que Lulu et ses amies avaient l'habitude d'échanger.

« Mais, c'est la photo d'un garçon ! » Hélène n'en croyait pas ses yeux. Lulu fréquentait une école exclusivement réservée aux filles ; elle ne connaissait pour ainsi dire aucun garçon. « Où a-t-elle bien pu le rencontrer ? » se dit Hélène, qui surveillait les moindres déplacements de sa petite Lulu.

Elle retourna la photo et écarquilla encore plus les yeux. Une main malhabile avait écrit *Luc* puis, en dessous, un numéro de téléphone : *LA 2-4421.* « Lafontaine 2... Il habite le même quartier que nous... » Hélène examina le garçon attentivement. « Ce Luc a l'air gentil, propre... un peu timide. Pourquoi Lulu ne m'en a-t-elle jamais parlé ? »

Elle glissa la photo dans sa poche et alla frapper à la porte de la chambre de sa fille.

— Lulu, est-ce que je peux entrer ? J'ai à te parler.

— Je n'ai vraiment pas le temps, maman, il faut que je finisse mon ménage.

Sa voix était froide et pleine de rancune. Hélène insista, toute fière de posséder un argument merveilleux pour lui faire retrouver sa bonne humeur.

— Tu devrais ouvrir tout de suite, ma grande. J'ai une surprise pour toi. Une grosse surprise.

Lulu ouvrit la porte.

— Tu l'as trouvé ? C'est ça, maman, c'est ça ?

Hélène sans dire un mot lui remit le journal.

— Aaaaah ! c'est extraordinaire ! Je le savais, qu'il n'était pas perdu, j'en étais sûre, dit-elle en sautant de joie et en poussant de grands cris.

Elle avait les joues roses et les yeux pétillants ; sa colère s'était envolée.

— Tu ne me demandes pas où je l'ai trouvé ?

— Oh ! ça n'a plus d'importance, maman. J'ai dû le laisser traîner quelque part… Bon ! il faut que je me dépêche si on ne veut pas manquer l'autobus de trois heures.

Lulu crut que son cœur allait cesser de battre quand elle entendit sa mère ajouter :

— Ah, j'ai oublié… Il y a quelque chose qui est tombé de ton journal…

— Ah oui…, répondit Lulu qui était sur le point de s'évanouir.

— Oui… Une photo… Je ne sais pas qui c'est, mais… sa coupe de cheveux est vraiment « bizarre » !

— Ah ! c'est sûrement Maryse, sa mère lui a raté le toupet !

— Non, ce n'est pas Maryse !

Hélène lui tendit la photo avec un petit sourire narquois. Lulu la prit et se mit à rougir.

— C'est un garçon, dit-elle sans regarder sa mère.

— Oui, j'avais remarqué, répliqua Hélène.

— Il s'appelle Luc.

— Oui, je sais… Lafontaine 2-4421.

Lulu était très embarrassée. Elle ne savait plus où se mettre.

— Il a l'air gentil, lui dit Hélène qui voulait en savoir un peu plus.

— Oh oui ! il est très gentil.

Elle éprouvait de la difficulté à parler de Luc d'une façon naturelle, et sa voix montait toute seule dans les aigus.

— Et tu l'as rencontré où ?

— À la piscine.

Elle baissa les yeux, un peu gênée. Depuis le début de cette année, sa mère lui permettait d'aller toute seule prendre ses cours de natation. « Pourvu qu'elle ne revienne pas sur sa décision », pensa-t-elle.

— Il n'y a pas de garçon dans ton cours.

— Non, non… C'est le fils de monsieur Lachapelle, le concierge.

— Ah oui ! Je connais très bien sa sœur, c'est une de mes bonnes clientes, je lui ai fait un joli chapeau de paille, le mois dernier.

Hélène souriait. Lulu était rassurée, tout allait pour le mieux. Elle éprouva tout à coup un besoin ardent de parler à sa mère de son nouvel ami.

— Monsieur Lachapelle l'amène souvent à son travail. Il l'appelle son acolyte. Son acolyte ! C'est drôle !

Hein ? « Tiens, Lulu, tu vas être contente, j'ai amené mon acolyte, ce soir ! » Il parle fort, son père, et il est comique. Luc, lui, il est un peu gêné et il ne parle pas beaucoup. Il a un gros chien qui s'appelle Mickey. Il le traîne tout le temps avec lui. C'est un mélange de berger allemand et de colley. Y est assez beau ! Quand je monte sur le tremplin, il jappe ! C'est drôle !

— C'est une grosse famille, les Lachapelle, non ?

— Oh oui ! Ils sont cinq garçons. Cinq, maman ! Tu te rends compte ? Et sa mère va bientôt accoucher ! Tout le monde espère que ça va être une fille.

Hélène n'en revenait pas ! Lulu s'intéressait à un garçon ! Elle qui proclamait encore la semaine précédente que c'étaient tous des idiots et des fatigants de la pire espèce. Ce serait donc lui, le grand responsable de toutes ces sautes d'humeur ! « Les vacances arrivent juste à point, pensa Hélène. Vivement l'île aux Cerises ! »

Elle était convaincue que, d'ici la fin de l'été, sa fille aurait sans doute oublié son nouvel ami. Loin des yeux, loin du cœur, comme on dit. Bon ! l'important, c'est qu'elles pouvaient partir enfin ! Le temps filait à toute vitesse et Hélène pressa Lulu de terminer au plus vite ses derniers préparatifs.

Lulu se retrouva enfin seule dans sa chambre. « Vite ! se dit-elle. Je n'ai pas une minute à perdre. » Elle prit son journal et déverrouilla le cadenas de ses mains tremblantes. Elle alla tout de suite à la dernière page… Et poussa un long soupir de soulagement. La petite enveloppe s'y trouvait toujours !... Dans la même position où elle l'avait laissée ! Elle y déposa un rapide baiser, l'ouvrit et relut encore une fois le poème qu'elle connaissait par cœur. Puis elle mit la photo avec la lettre dans l'enveloppe, et la colla à l'intérieur de son journal intime avec du ruban adhésif. Satisfaite et rassurée, elle rangea le tout dans le fond de sa valise. « Bonnes vacances, Luc ! » murmura-t-elle en souriant.

Dix minutes plus tard, elle annonçait à sa mère qu'elle était prête à partir. Hélène, soulagée de voir que tout était rentré dans l'ordre, se hâta de mettre son chapeau. C'était une de ses nouvelles créations qui déclencha immédiatement un fou rire chez sa fille.

— On dirait qu'une soucoupe volante s'est posée sur ta tête, maman !

— C'est la dernière mode, ma chérie !

« Bizarre ! » pensa Lulu en levant les yeux au ciel.

— Ton nouvel ensemble te va très bien, ma grande.

Lulu avait finalement opté pour son pantalon corsaire avec un petit chandail rayé blanc et bleu. Elle portait fièrement ses nouvelles chaussures, des *penny loafers* qui lui faisaient déjà mal aux pieds, mais rien au monde n'aurait pu l'empêcher de les étrenner.

— J'ai mis nos imperméables à portée de la main. Le temps est encore incertain, dit Hélène.

— Penses-tu que je vais me promener en ville avec

cette monstruosité sur le dos ? répliqua Lulu, devant le miroir de l'entrée.

Elle réajusta une dernière fois ses cheveux sous son bandeau et ajouta un peu de rose sur ses lèvres.

— Dépêche-toi ! Espères-tu faire des conquêtes dans l'autobus ? demanda Hélène qui se moquait de sa fille.

Lulu ne répondit pas et se contenta de sourire.

La mère et la fille marchaient côte à côte avec leurs valises qui, comme chaque année, étaient bien trop lourdes. Grand-papa Léon aurait encore une fois du mal à les embarquer dans sa chaloupe et il dirait à Lulu : « Qu'est-ce que tu as mis dans ta valise, Lulu ? Une robe pour chaque jour de la semaine ? » et ils riraient tous les trois et…

L'esprit de Lulu vagabondait entre l'île aux Cerises et le quartier de son enfance qu'elle s'apprêtait à quitter pour tout l'été. Pour la première fois, cette année, elle ressentait une certaine nostalgie.

Quand elles approchèrent de la rue Marianne, Lulu ralentit le pas pour se retrouver derrière sa mère. Juste passé le coin, son cœur se mit à battre plus fort. Elle jeta un coup d'œil discret vers la porte du 1851. Une main écarta aussitôt le rideau. Lulu ne put s'empêcher de sourire de bonheur en reconnaissant la silhouette de Luc et le vieux chandail bleu qu'il portait tous les jours. Il était là. Il n'avait pas oublié leur rendez-vous. « Vers deux heures, je vais passer devant chez toi avec ma mère, puis on va se dire au revoir sans que ça paraisse », lui avait-elle promis.

Luc lui envoya la main avec un beau sourire triste. Elle lui répondit d'un tout petit geste à peine perceptible qui voulait dire : *Je ne t'oublierai pas. À bientôt !* Puis elle baissa les yeux à regret et pressa le pas pour rejoindre sa mère. Lulu entendit longtemps les aboiements de Mickey qui l'avait reconnue et qui aurait bien aimé courir jusqu'à elle… lui aussi ! Ses jappements semblaient lui crier : *Je t'aime, je t'aime !*

Quand ils cessèrent, une grande tristesse entra dans son cœur.

2

# Le paradis perdu

Samedi 6 juillet
10 heures 15 du matin

— Regarde, Estelle, je vais te faire mon plongeon arrière.

Depuis son arrivée à l'île aux Cerises, Lulu avait renoué avec ses habitudes de vacances. Au réveil, elle enfilait son maillot de bain, allait chercher Estelle et, tous les jours, c'était la course à qui serait la première à sauter dans le fleuve, qu'il y ait ou non du soleil.

Hélène ne pouvait s'empêcher de venir les surveiller de temps en temps. Elle se tenait à l'écart et frissonnait en regardant passer les nuages. Les heures mouvementées qui avaient précédé leur départ de la ville lui avaient laissé un peu d'inquiétude au cœur. Sa petite Lulu lui semblait mélancolique. Passerait-elle quand même un bel été à l'île aux Cerises ?

Hélène ferma les yeux et se revit au même âge que sa fille. Un visage familier lui apparut tout de suite. Elle n'avait pas pensé à lui depuis des années ! Il s'appelait Jean. C'était le fils de leur voisin de palier. Elle en était amoureuse.

Jean était un véritable casse-cou à bicyclette, il ne quittait jamais son vélo, même pour dormir ! Il l'avait emmenée se promener au parc en cachette, assise sur son guidon et la mère d'Hélène l'avait sévèrement punie pour lui avoir désobéi. Hélène sourit en se rappelant comment ils aimaient se tenir par la main, dans la ruelle, à l'abri des regards, sans se dire un seul mot. Quand Jean avait changé de quartier, elle avait pensé mourir de chagrin. C'était si loin, tout ça !

— Regarde, Estelle, regarde bien mes pieds...

Hélène sortit de sa rêverie et rappela sa fille à l'ordre.

— N'oublie pas que le fleuve n'est pas aussi sécuritaire qu'une piscine, tu dois être prudente et ta cousine Estelle n'est pas là pour applaudir à tes prouesses.

« Ça y est, se dit Lulu, la litanie de conseils qui commence ! »

— Ça ne m'ennuie pas, ma tante, j'aime ça, la regarder plonger, répondit Estelle en souriant.

Quand elle souriait ainsi, Estelle ressemblait comme

deux gouttes d'eau à la petite fille des photos de son enfance ! Les mêmes pommettes et le même petit air coquin. Mais sous sa serviette de bain, elle cachait cette année des rondeurs qui la mettaient mal à l'aise. Lulu l'enviait d'avoir des atouts qui faisaient briller les yeux des garçons et elle désespérait de voir un jour s'arrondir le maillot qui flottait sur sa poitrine.

— Lulu va m'apprendre à plonger comme elle, cet été, dit-elle toute fière à Hélène.

— Ma pauvre, lui répondit celle-ci, tu ne sais pas dans quoi tu t'embarques. Ma fille peut se montrer très entêtée quand elle a décidé quelque chose. J'en parle d'expérience, crois-moi.

Estelle éclata de rire et Lulu prit son air renfrogné.

Hélène préféra les laisser seules. De toute façon, elle avait promis de donner un coup de main à Alice qui voulait installer de nouveaux rideaux dans le salon. Hélène était songeuse. Depuis leur arrivée, elle avait constaté que grand-maman Alice n'était pas dans son état normal. Elle lui paraissait préoccupée et triste. Elle les avait accueillies avec toujours la même générosité et la même bonne humeur, mais cela n'avait pas empêché Hélène de déceler une certaine lassitude dans son regard. « C'est bizarre, maman, tu ne trouves pas, lui avait fait remarqué Lulu, grand-maman n'a pas chanté une seule fois depuis qu'on est ici. »

Alice ne passait jamais une journée sans chanter.

Tout le monde le savait. Son répertoire était inépuisable et Lulu connaissait par cœur tous les grands succès de sa grand-mère. Son silence subit avait de quoi l'inquiéter. Hélène sentait qu'Alice lui cachait quelque chose de grave. Comment l'amener à lui faire des confidences sans la brusquer ?

Grand-papa Léon aussi se comportait d'une étrange façon. Cette année, il n'était pas venu les chercher à l'arrêt d'autobus avec sa chaloupe à moteur, lui qui se faisait un devoir chaque année de les transporter d'une rive à l'autre ! Cette traversée rituelle avait toujours représenté pour Lulu le vrai début des vacances d'été. Aussi avait-elle été très déçue, et même inquiète, quand, apercevant la chaloupe des Côté au loin, elle n'avait pas reconnu la façon de faire de son grand-père.

— C'est le chapeau de grand-papa, mais on dirait que ce n'est pas lui, avait-elle tout de suite observé. Je te jure, maman, ce n'est pas lui !... Oh ! on dirait que c'est mon oncle Arthur... Il lui ressemble... mais je ne suis pas sûre... Non, il fait trop de zigzags avec la chaloupe, ça ne peut pas être lui non plus !

Ce n'était ni Léon ni Arthur, c'était Michel, devenu en quelques mois le vrai portrait de son père. Il accosta durement contre le quai et poussa un cri de joie :

— Yé !! bonjour ma tante, salut Lulu ! C'est moi votre capitaine aujourd'hui ! On va rentrer juste sur une pinotte, laissez-moi vous le dire.

Hélène aurait préféré être entre les mains de grand-papa Léon, même si elle savait que Michel, sous ses dehors fanfarons, était un brave garçon qui ne les aurait jamais mises en danger. Elle lui rappela qu'elle n'aimait pas beaucoup être secouée par les vagues et Michel promit, main sur le cœur, de faire attention. Hélène remarqua avec émotion que Michel était devenu un homme. La petite peste s'était transformée en un grand gaillard solide, intelligent et débrouillard qui avait conservé l'espièglerie de son enfance. « Comme le temps passe ! » pensa Hélène.

— Pourquoi c'est pas grand-papa qui est venu nous chercher ? demanda Lulu qui ne pouvait s'empêcher de paraître déçue.

— Il est fatigué, il faut qu'il se repose et puis… Ta valise aurait été trop pesante pour lui, dit Michel en la soulevant d'une seule main comme si elle pesait une plume.

— Ouain… Tu fais ton frais. C'est toi le plus grand, c'est toi le plus fort, j'imagine ?

— Ouais ! tu penses pas si bien dire.

Les yeux bleus de Michel pétillaient de malice. Lulu baissa la tête ; il lui sembla tout à coup si lointain, le temps où ils avaient bien failli se perdre tous les deux en traversant le champ de maïs. Elle ne reconnaissait plus son cousin, tant il avait grandi !

La traversée se fit dans un temps record et, à part quelques fantaisies de la part du capitaine, Hélène n'eut rien à lui reprocher. Lulu riait bien sûr des petites frayeurs de sa mère et encourageait son cousin à aller plus vite ; elle avait hâte d'arriver, car elle avait reconnu au loin la silhouette de son grand-père qui lui faisait signe de la main.

— Regarde, maman, c'est bizarre, on dirait que grand-papa a rapetissé !

— C'est une illusion d'optique, Lulu. Puis cesse de dire le mot « bizarre », s'il te plaît !

Lulu s'inquiéta de ne pas voir sa grand-mère sur le quai, elle qui était toujours la première à les accueillir. Michel prétendit qu'elle n'avait pas fini de laver son plancher et qu'après trois jours de pluie, c'était un travail phénoménal !

— Ta grand-mère dit qu'il y a autant de boue dans sa cuisine que dans le chemin ! cria-t-il en riant.

Hélène éclata de rire et jeta un œil découragé sur ses jolies chaussures de toile qu'elle regrettait déjà d'avoir mises.

Lulu, maussade, regarda le ciel tout gris. Elle plongea sa main dans l'eau du fleuve et sa fraîcheur la surprit. Et si la belle température n'était pas au rendez-vous ?

Elle n'était pas la première à s'inquiéter du mauvais temps. « On va avoir un été abominable ! » ne cessait de répéter Mimi Tourville, l'aïeule de l'île. Ses origines indiennes en faisaient une experte en prévisions météorologiques. Depuis l'ouragan de 1954 qu'elle avait été la seule à prévoir, tout le monde savait que mémère Tourville se trompait rarement.

La température, c'est bon pour les grandes personnes ! Lulu et Estelle avaient bien d'autres préoccupations !

Enveloppée dans sa grande serviette de bain, Estelle s'étira sur le quai en bâillant.

— On va avoir de la grande visite, cet été.

— Ah oui ?... Grande comment ?

— Six pieds ! (Estelle éclata de rire. Elle adorait rire de ses propres blagues.) C'est mon cousin Gary... Tu sais, le fils de l'oncle Bob. Imagine-toi donc que l'oncle Bob est veuf depuis cette année. Le pauvre ! Comme il travaille tout l'été, maman a invité Gary à venir passer ses vacances ici.

Estelle se tortillait sur sa serviette. Chaque fois qu'elle prononçait le nom de Gary, ses joues s'enflammaient et tout son corps participait à son émoi. Gary ! Lulu était loin d'être emballée comme Estelle. Ce Gary, elle n'avait aucune envie de le connaître ! Pas question pour elle d'être obligée de parler anglais et de passer toutes ses vacances avec un grand nigaud sur les talons. Lulu aurait préféré avoir Estelle uniquement pour elle et passer des heures à lui confier ses pensées les plus secrètes. Pourquoi leur imposer la présence d'un cousin américain qu'elles n'avaient pas vu depuis une éternité et dont elles ne se souvenaient même plus ?

Estelle, qui souhaitait à tout prix que Lulu partage son enthousiasme, tenta d'exciter sa curiosité en lui disant :

— Peut-être que c'est un très beau garçon ?...

Lulu n'avait pas du tout l'air convaincue.

— Bien, tu sauras, ajouta Estelle en gloussant de plaisir, que, moi, j'ai vu sa photo. Elle était un p'tit peu floue là, mais crois-moi, c'est loin d'être un laideron.

Lulu leva les yeux au ciel. Elle détestait voir Estelle se mettre dans tous ses états pour un garçon qu'elle ne connaissait même pas !

— Six pieds ! marmonna Lulu. C'est un géant ! Qu'est-ce qu'ils mangent aux États-Unis pour être grands de même ?

— Des Corn Flakes ! Maman en a acheté une grosse boîte. Il paraît que tous les Américains sont fous de ça. Moi, je trouve que ça goûte rien... Alors, j'mets une tonne de sucre... puis ça passe.

Lulu sentait qu'Estelle était prête à toutes les concessions pour plaire à son cousin, qu'elle irait même jusqu'à lui prêter sa chambre pour l'été et coucher sur le divan du salon ! Fini les longues conversations entre filles, fini les après-midi de pluie à chanter les derniers succès du hit-parade, portes closes, sans personne pour les espionner ! Et en plus mémère Tourville avait prédit de la pluie en abondance ! Non ! Lulu ne voulait plus entendre parler de ce Gary qui allait gâcher son été !

Estelle essaya de trouver un argument pour amadouer sa cousine.

— Ça va être pratique, un garçon. Il ne travaillera pas cinq jours par semaine comme Michel, il va pouvoir nous emmener à la pêche ; c'est lui qui va ramer, puis c'est lui qui va mettre les vers après l'hameçon, dit-elle en faisant une terrible grimace.

— Parle pour toi, Estelle. Moi, j'ai jamais eu peur de ça, mettre des vers ! Puis tu sauras que j'ai pas besoin d'un garçon pour faire ce que je veux !

Lulu se retourna sur le ventre, la tête enfouie dans sa serviette de plage. Estelle avait toujours détesté aller à la pêche. Pourquoi lui racontait-elle toutes ces niaiseries ? Elle se surprit à avoir envie de pleurer. Si sa cousine lui avait demandé pourquoi, elle aurait été incapable de répondre. Estelle, qui la connaissait bien, avait deviné que quelque chose ne tournait pas rond.

— T'aurais pas mal au ventre, toi, par hasard ?

— Oh non ! pas toi aussi ! Tu sauras, Estelle Tremblay, que c'est pas parce que t'es déjà menstruée que tu peux te penser plus fine qu'une autre. Puis c'est pas parce que j'ai mal au ventre que tu me tombes sur les nerfs... c'est juste que... tu me tombes sur les nerfs !

Lulu se mit à pleurer. Estelle attendit un moment en silence. Elle ne se laissait pas facilement ébranler par les sautes d'humeur de sa cousine.

— Comment il s'appelle ? demanda Estelle

— Qui ça ? De quoi tu parles ?

— Comment il s'appelle… le garçon ?

— Quel garçon ?

— Celui dont tu veux pas me parler, celui dont tu t'ennuies depuis que t'es arrivée, celui qui fait que t'es de mauvaise humeur.

Lulu essuya ses larmes. Estelle avait vu juste. Sans se l'avouer, elle était restée accrochée à la dernière image de Luc, celle où il lui souriait tristement derrière la porte de sa maison. Lulu n'était pas encore vraiment arrivée à l'île aux Cerises. Son cœur errait aux environs de la rue Marianne.

— Il s'appelle Luc… et je te défends d'en parler à qui que ce soit.

Grand-maman Alice avait choisi, pour ses nouveaux rideaux, une cotonnade fleurie qui ne risquait pas de passer inaperçue.

— C'est beau, hein ? C'est gai ! C'est comme un jardin plein de soleil, dit-elle en secouant le tissu que sa belle-fille essayait en vain de tailler.

Pour éloigner Alice de la table et le faire avec délicatesse, Hélène lui suggéra de commencer à enlever les vieux rideaux qui pendaient aux fenêtres. Elle avait besoin d'un minimum de concentration pour faire du beau travail. Elle essayait depuis un petit moment d'agencer les pétales de fleurs du tissu pour recomposer des fleurs entières, mais la tâche était plus ardue qu'elle ne l'avait cru.

— C'est pas nécessaire que ce soit parfait, ma petite fille, lui lança Alice qui l'observait du haut de sa chaise. On est à la campagne ici et même si les rideaux sont un petit peu croches, ça va aller avec tout le reste, tout est croche ici !

Alice reprochait souvent à Hélène ce qu'elle appelait son obsession de la perfection. Ce à quoi Hélène lui répondait toujours : « Ce qui mérite d'être fait, mérite d'être bien fait. »

— C'est dommage, ne put-elle s'empêcher de remarquer, le rose est pas le même que celui du divan.

— C'est la preuve, ma fille, que tous les roses sont dans la nature, répondit en riant Alice qui avait sa façon bien à elle de concevoir la décoration. Si le bon Dieu avait voulu que tout soit pareil, il aurait fait le monde en noir et blanc. As-tu déjà pensé à ça ?

— Il n'y a que vous, belle-maman, pour penser à des choses comme ça. C'est pour ça qu'on vous aime !

Par la fenêtre, Hélène pouvait voir la chaise longue de grand-papa Léon, placée à l'ombre ; il y était installé depuis un bon moment, et aucun mouvement ne semblait venir troubler sa sieste. Elle l'observait depuis quelques jours, de plus en plus inquiète. « Il a maigri, il se traîne les pieds et son potager est très en retard, il y a quelque chose qui cloche, se dit-elle. Je vais essayer de savoir ce qui se passe. »

— Léon ne travaille pas dans son potager ce matin ? demanda-t-elle à sa belle-mère. C'est surprenant !

Grand-maman Alice fit celle qui n'avait rien entendu. Grimpée sur sa chaise, elle peinait à décrocher les vieux rideaux dont les crochets rouillés résistaient à ses grosses mains devenues moins agiles avec le temps. Hélène, qui la regardait du coin de l'œil, fut frappée de voir à quel point elle avait vieilli en quelques mois. Ses cheveux gris avaient pris le dessus sur sa tignasse rousse, et la lumière qui jadis illuminait ses yeux s'était mise en veilleuse.

— Voulez-vous que je vous donne un coup de main, belle-maman ?

Alice, debout sur la pointe des pieds, faillit perdre l'équilibre, s'accrocha à la tringle à rideaux qui céda sous son poids et Hélène se précipita pour la rattraper juste avant qu'elle ne tombe par terre.

— Vous m'avez fait peur, vous auriez pu vous casser quelque chose.

— T'en fais pas, ma fille, j'suis bonne à rien de ce temps-ci, j'pense que j'ai pris un coup de vieux, dit-elle en se moquant d'elle-même.

— Allez vous reposer dans le jardin. Je vais m'occuper de tout.

— Me reposer ! Il n'y a rien de plus ennuyant sur terre que de se reposer !

Alice se dirigea vers le jardin à contrecœur. Elle s'en voulait d'être habitée par des pensées si sombres qu'elles lui gâchaient les petits bonheurs de la vie et rendaient son cœur aussi lourd que la grosse pierre près du rivage, là où le héron venait se chauffer au soleil. Chaque année, les hérons étaient de retour et choisissaient toujours le même rocher pour poser leurs grandes pattes si fines et si délicates.

Il était là, le héron ! Elle s'arrêta pour contempler sa silhouette fière qui se découpait sur l'eau paisible du fleuve. Elle ne voyait plus en lui l'oiseau magnifique épris de liberté qu'elle admirait depuis des années ; elle ne retenait que sa fragilité. Tant de dangers le menaçaient ! Ses yeux se remplirent de larmes et, au même moment, le héron prit son envol. Il semblait la narguer et lui dire : « Regarde ! Je n'ai pas peur de mourir, moi ! Je vole, je vole ! »

« Qu'est-ce qui m'arrive, mon Dieu ? Qu'est-ce qui m'arrive ? » pensa-t-elle, le regard perdu au loin.

Estelle était tout énervée. Elle voulait tout savoir sur Luc, tout connaître de lui ! Lulu lui fit d'abord jurer solennellement de garder le secret et de ne jamais trahir sa promesse, sinon c'en serait fini de leur grande amitié. Estelle s'empressa de prêter serment en crachant par terre. Elle était si impatiente d'entendre Lulu lui raconter par quel miracle elle l'avait connu, elle qui ne rencontrait jamais de garçons ! Et surtout comment elle avait fait pour déjouer la surveillance d'Hélène qui avait vraiment des yeux tout le tour de la tête !

Lulu riait. Elle était assez fière d'épater sa cousine et même si le hasard avait joué en sa faveur dans toute cette histoire, elle n'insista pas trop sur ce détail. Estelle était un peu trop curieuse ; Lulu éprouvait le besoin de garder certains détails pour elle. Comment parler de Luc tout en protégeant ce qu'il y avait de fascinant et de mystérieux entre eux ?

— Tu comprends, ses parents ont pas assez d'argent pour lui payer des cours de natation, alors il s'assoit sur les gradins et il se contente de nous regarder. Ensuite, quand il vient à la piscine aux bains libres, il essaie de faire comme nous autres. Un jour, il a fait un *flatte* juste devant moi... Il s'est fait mal au ventre... J'ai tellement ri. J'étais sûre qu'il allait être fâché, mais pas du tout. Il m'a dit : « Au lieu de rire de moi, montre-moi donc comment faire ! »

Estelle n'en revenait pas.

— T'es sûre que c'est un garçon ?

— Je te l'ai dit, il est pas comme les autres. Il est spécial.

Oui ! aux yeux de Lulu, Luc était *spécial.* Elle n'aurait pas très bien su expliquer en quoi il n'était pas comme les autres. C'était le premier garçon auquel elle s'intéressait. Elle aimait ses longs silences, sa timidité et cette façon qu'il avait de la regarder droit dans les yeux, pas pour la braver, non, mais comme pour lui faire comprendre tout ce qu'il aurait pu lui confier s'il avait été moins gêné. Dès la première seconde, elle avait compris qu'ils étaient faits pour devenir des amis.

Estelle attendait la suite avec impatience. Elle n'en pouvait plus de se retenir et posa tout de suite la question qui lui semblait essentielle :

— Est-ce qu'il est beau ?

Lulu mit un certain temps à répondre. Elle connaissait les goûts de sa cousine. La beauté physique était la première qualité qu'Estelle recherchait chez un garçon et, juste à voir sa collection de photos de vedettes de cinéma, il était facile de comprendre où allaient ses préférences.

— Pour moi, oui ! finit-elle par dire.

Estelle, frustrée de cette réponse beaucoup trop courte à son goût, insista pour avoir plus de détails.

— Mais il a l'air de quoi ?

Lulu n'avait pas l'air pressé de donner une description détaillée de son nouvel ami. Elle craignait sans doute le jugement sévère de sa cousine qui n'allait pas se gêner pour critiquer. Luc n'était pas ce que l'on pouvait appeler un beau garçon, elle le savait. Et pourtant c'était le seul qui avait retenu son attention. Elle aimait son sourire timide et les deux petites fossettes qui apparaissaient sur ses joues quand il n'osait pas éclater de rire. La première fois qu'elle l'avait regardé droit dans les yeux, il avait rougi et baissé la tête. Estelle ne pourrait jamais comprendre. Lulu s'efforça quand même de lui répondre.

— Il est juste un petit peu plus grand que moi, il a les yeux verts, les cheveux roux…

— Ouach! Je suppose que tu vas me dire qu'il a aussi des taches de rousseur?

— Oui! Puis, moi, je trouve ça très beau. Je te l'ai dit… Il est pas comme les autres… Il passe pas son temps à dire des niaiseries… Il écrit des poèmes… en vers!

— Oh! il pourrait venir à la pêche avec nous autres!

— Très drôle!

Si Lulu avait d'abord eu l'intention de lui montrer la photo de Luc, la réaction de sa cousine la fit rapidement changer d'avis. Elle trouvait son attitude ridicule! « Qui est-ce qui a décidé ça, qu'un garçon aux cheveux roux, c'est laid? Moi, je suis bien frisée comme un mouton, se dit Lulu, c'est pas mieux! Et Estelle, avec ses grosses fesses, elle ferait mieux de se taire! » Elle était prête à défendre Luc envers et contre tous.

— Veux-tu que je te montre la photo de Gary? demanda Estelle du petit ton supérieur de celle qui a déniché l'oiseau rare.

La réaction de Lulu ne se fit pas attendre.

— Voyons, Estelle, c'est ton cousin. C'est comme si moi j'étais amoureuse de… ton frère, Michel!

— Je suis pas amoureuse de lui, j'ai juste hâte qu'il arrive.

Lulu n'en croyait rien. Estelle avait beau lui jurer le contraire, elle était persuadée qu'elle avait bel et bien le béguin pour son cousin.

Estelle regrettait un peu d'avoir été si catégorique sur les taches de rousseur de Luc. À cause de ça, Lulu n'avait plus envie de voir la photo de Gary et elle aurait donné n'importe quoi pour pouvoir la lui montrer.

— Samedi prochain, le jour de son arrivée, c'est son anniversaire, dit Estelle, qui voulait à tout prix communiquer à Lulu son enthousiasme.

— Ah oui ? Il va avoir quel âge ?

— Seize ans, répondit-elle d'une petite voix qui manquait d'assurance.

— Seize ans ! Puis tu penses qu'il va s'intéresser à toi ! T'es ridicule, ma pauvre fille !

— En tout cas, maman a dit qu'on allait faire une grosse fête. Tout le monde va venir à la maison. Il y aura des hot-dogs puis des chips, ajouta Estelle qui tentait de faire sourire sa cousine de nouveau.

— Des hot-dogs ! T'es folle ! Ma mère veut pas que je mange ça ! Elle dit que ça me fait vomir.

— Comment elle peut savoir ça, t'en manges jamais ! Puis c'est le mets préféré des Américains ! Ça, puis les milk-shakes à la vanille… Mais on peut pas en faire, parce qu'on a pas l'électricité. Il y a plein de choses qu'on peut pas faire ici parce qu'on a pas l'électricité…, maugréa-t-elle en faisant sa moue d'enfant gâtée.

Lulu avait toujours pensé que c'était ça justement qui faisait le charme de l'île aux Cerises, et sa cousine jusqu'à aujourd'hui avait partagé son point de vue. Pourquoi l'île lui apparaissait-elle maintenant comme une vieille chose d'autrefois, bonne à mettre aux oubliettes ?

— On peut même pas regarder la télévision ici. Moi, ça me faisait pratiquer mon anglais… pour pouvoir parler avec Gary…

— Ah non ! pas encore lui ! Tu vas pas passer ton été à me parler de lui. Gary par-ci, Gary, par-là ! Bon, moi, je monte, je vais me changer.

— Hey ! il paraîtrait que Lison a un nouveau chum ! lui cria Estelle du bout du quai. Ils vont arriver dans quelques jours. Peut-être que Good Night s'est fait une blonde !

« Très drôle ! » pensa Lulu.

Elle se sentit un peu réconfortée à la pensée de retrouver son petit terrier. Good Night et elle étaient des amis pour la vie. Rien ne pouvait altérer leur amitié. Elle avait hâte de se confier à lui. Il la comprendrait, c'est sûr !

Elle se sentit quand même très seule tout à coup.

## 3

# De l'amour !

Jeudi 11 juillet
1 heure de l'après-midi

Grand-papa Léon sommeillait dans sa chaise longue. Il remonta sa couverture de laine jusqu'à ses mains croisées sur sa poitrine. Il avait froid en dépit du soleil qui l'enveloppait tout entier dans ses rayons.

Ses pauvres jambes étaient si fatiguées. Il aurait dû se lever et aller faire la guerre aux mauvaises herbes qui le narguaient dans son potager. On le traitait de paresseux, il le savait. Qui aurait pu comprendre que quelque chose de plus fort que lui s'était glissé dans son corps ? À quoi bon lutter ? Le médecin avait recommandé du repos, beaucoup de repos et il était si facile de lui obéir.

Lulu, qui guettait l'arrivée de Good Night, faisait les cent pas dans le sentier. Hélène l'avait prévenue que son grand-père devait se reposer et qu'il ne fallait surtout pas le déranger pendant sa sieste. Elle aurait bien aimé aller le taquiner comme avant. « Pauvre grand-papa ! » se dit-elle en se contentant de l'observer de loin.

Elle vit sa grand-mère s'approcher de lui. Alice s'assit au pied de la chaise et décroisa les jambes de son vieux mari pour qu'elles reposent bien droites comme le docteur Longpré l'avait recommandé. Il bougonna un peu tout en gardant les yeux fermés. Elle se pencha sur lui comme pour le border puis se courba davantage pour atteindre ses lèvres et y déposer un tendre baiser.

Lulu recula d'un pas. Elle ne voulait pas avoir l'air de les espionner. Jamais elle n'avait vu ses grands-parents s'embrasser. Pourtant, elle ne pouvait douter de leur amour, même s'il ne se manifestait pas devant tout le monde comme celui de jeunes amoureux.

Alice se redressa et sa grosse main caressa à plusieurs reprises le front et les cheveux de son mari qui continuait à faire semblant de dormir. Pas une parole ne fut échangée. Il y avait tant d'amour dans ce tête-à-tête que Lulu en fut toute bouleversée.

L'arrivée subite de Good Night brisa le charme de ce moment de grâce et Alice, relevant la tête, découvrit la présence de sa petite-fille. Elle lui sourit avec douceur et essuya bien vite ses yeux remplis de larmes.

Lulu se précipita sur le chien pour essayer de faire taire ses aboiements de joie.

— Chut ! Good Night ! Chut ! Tu vas réveiller grand-papa !

Le petit terrier était trop excité pour lui obéir. Lui qui devait se contenter en ville de promenades bien sages au bout d'une laisse, n'en finissait plus de faire éclater sa joie d'être libre ! Enfin !

— Viens ici, mon chien ! Viens me donner un beau bec ! Viens !

Lulu avait attendu ce moment avec impatience toute l'année, mais Good Night ne semblait pas pressé de se retrouver en tête-à-tête avec elle. Peut-être l'avait-il oubliée ? Se souvenait-il encore que les odeurs de l'île aux Cerises étaient celles de son enfance ? Que c'était là qu'il avait rencontré son premier amour, cette petite Lulu aux cheveux frisés venue gentiment à son secours alors qu'il gisait abandonné près du ruisseau ? « Pourquoi est-ce qu'elle n'arrête pas de grandir ? » pensait-il en tournant à toute vitesse autour d'elle. Lulu, déçue de ne pouvoir le serrer sur son cœur, essaya de nouveau de l'attirer vers elle.

— Viens, mon petit Goody !

Il s'immobilisa un moment… et repartit de plus belle.

— Mais arrête ! T'es devenu fou, ou quoi ?

Elle s'assit par terre au milieu du sentier et joua les

indifférentes. « Si je ne m'occupe pas de lui, il va venir. C'est un vieux truc, ça marche toujours. »

Good Night en effet arrêta de courir. Ce n'était que pour mieux s'approprier son nouveau territoire en levant la patte sur tout ce qui avait la taille d'un arbuste ou presque, sans oublier la clôture de grand-maman Alice.

— Bon, ça va, Good Night… On a compris !

Il vint finalement s'asseoir devant elle en penchant la tête à droite puis à gauche, ce qui avait toujours eu pour effet de la faire craquer.

— Comme tu es mignon !

Elle passa ses doigts dans les poils ébouriffés du petit terrier qui se tortillait de plaisir.

— Tu es minuscule à côté de Mickey…

Good Night se redressa en entendant ce nom inconnu. « Qu'est-ce que c'est que ce rival ? » se dit-il.

— Mickey, c'est le chien de Luc, lui souffla-t-elle à l'oreille. Luc, c'est mon ami, je l'aime beaucoup beaucoup, mais tu n'as pas à être jaloux, Good Night, toi aussi, je t'aime. Donne-moi un beau bec !

Et Good Night s'exécuta avec ardeur. Il ne se contenta pas de l'embrasser, il se mit à chercher dans ses cheveux un petit coin chaud où fourrer son museau froid et mouillé.

— Non ! Pas les oreilles ! Pas les oreilles, ça me chatouille trop !

Enfin, elle le retrouvait tel qu'il avait toujours été, tendre et affectueux. Elle se roula par terre avec lui, tout heureuse de sentir sa bonne odeur de chien, son haleine chaude et sa petite langue fouineuse qui lui léchait le cou.

— Eh bien, c'est toujours le grand amour, vous deux ! dit Lison en s'approchant en compagnie d'un monsieur trop bien habillé pour la campagne, qui marchait avec une canne.

Lison était rayonnante. Son chagrin d'amour qui l'avait fait tant souffrir était loin derrière elle, enfin ! Dans sa jolie robe fleurie, elle se tenait bien droite pour accueillir le bonheur. Elle présenta fièrement à Lulu son fiancé, Paul Des Rosiers. Celui-ci souleva son chapeau de paille avec élégance et salua Lulu comme si elle était un personnage très important.

Lulu marmonna : « Bonjour, monsieur Des Rosiers » tout en reluquant, mine de rien, la nouvelle conquête de Lison. « Il est bien vieux, il pourrait être son père, songea-t-elle, j'ai hâte de savoir ce qu'en pense Estelle. »

— Mon chéri, fit Lison, la voilà, la Lulu dont je t'ai tant parlé et qui m'a fait connaître ce brave Good Night. Sans ces deux-là, je ne serais peut-être pas là, aujourd'hui.

Une ombre légère traversa ses grands yeux et elle appuya sa tête sur l'épaule de son fiancé qui la serra plus fort contre lui.

— Ma chère Lulu, faites-moi le plaisir de m'appeler

Paul, tout simplement. Monsieur Des Rosiers, c'est ainsi que les gens appellent mon père.

« Son père ! Vieux comme il est, il doit être mort certain, son père ! » pensa Lulu pendant qu'elle leur souriait en toute innocence.

Les deux amoureux, avant de reprendre leur promenade, annoncèrent à Lulu qu'elle était attendue au chalet de sa cousine qui était « excitée comme une puce ! » pour préparer la soirée d'anniversaire du fameux cousin américain. « Il paraît que c'est un beau garçon ! »

— Encore lui ! On n'a pas fini d'en entendre parler, de celui-là, répliqua Lulu qui cachait mal sa mauvaise humeur.

Lison et Paul pouffèrent de rire en même temps et échangèrent un regard complice, puis ils s'éloignèrent en se tenant par la taille.

— Mon pauvre Good Night, murmura Lulu en lui caressant la tête, tu t'es fait voler ta place dans le cœur de Lison.

Le petit terrier hésita un moment entre ses deux maîtresses et choisit de suivre Lulu qui se dirigeait vers le chalet des Tremblay.

— Viens, mon chien ! J'espère qu'il est gentil avec toi, monsieur Des Rosiers, euh… Paul… sinon… je lui coupe la moustache pendant son sommeil !

Good Night lui répondit en jappant trois fois, ce qu'elle interpréta d'une façon positive.

Le chalet des Tremblay était en pleine effervescence. L'arrivée de l'oncle Bob et de son fils Gary était prévue pour le samedi, il ne restait donc que deux jours pour tout préparer.

Fleurette et Arthur Tremblay, les parents d'Estelle et de Michel, étaient reconnus dans toute l'île aux Cerises pour avoir le don d'organiser les plus belles fêtes. Avec trois fois rien, ils réussissaient à créer une ambiance du tonnerre.

— Je te dis que ma bourgeoise est aguichante aujourd'hui ! dit Arthur en frôlant les hanches de sa douce moitié. Comment tu penses que je vais passer à travers la journée, avec une belle femme comme ça à côté de moi ?

Fleurette portait ce jour-là un short blanc en cotonnade qui soulignait ses formes généreuses et Arthur ne se retenait pas pour lui administrer de solides tapes sur les fesses quand elle passait près de lui. Elle riait et son rouge à lèvres éclatant lui dessinait une bouche de star de cinéma.

— Viens ici, mon pit, que je te donne un beau bec, dit-elle à Arthur en lui tendant ses lèvres vermeilles.

— Tu veux que j'arrive à l'épicerie tout barbouillé de rouge à lèvres, hein, c'est ça ? répondit-il en s'esquivant.

Estelle et Lulu, un peu gênées de les voir s'exciter comme des jeunes mariés, se cachaient pour rigoler.

Fleurette rappela tout son petit monde à l'ordre. Il n'y avait pas une minute à perdre si on voulait que tout soit prêt à temps.

Arthur et Michel étaient chargés d'aller faire les courses en ville. Ils avaient décidé de profiter du beau temps pour tout faire dans le même après-midi.

— Et pas de détour par la taverne Morin, les gars ! leur dit Fleurette qui connaissait bien ses hommes.

— Jamais, maman ! Tu sais bien qu'on oserait jamais faire ça ! lui répondit Michel, tout sucre et tout miel.

Les deux cousines, assises sur les vieux bancs de tramway qui servaient de coin dînette, suivaient la conversation avec intérêt.

— Ton frère boit de la bière ? chuchota Lulu à l'oreille d'Estelle.

— Oui ! Puis c'est pas tout, l'autre soir il était chaud et il a essayé de toucher les seins de sa blonde ! Je l'ai vu !

— Quoi ? Qu'est-ce que tu dis ? lui demanda Lulu qui n'était pas sûre d'avoir bien compris.

Estelle lui donna un coup de pied en dessous de la table pour la faire taire.

— Faites pas comme l'année passée, continua Fleurette qui rédigeait la liste, oubliez pas d'acheter des guimauves, les enfants étaient tellement déçus.

— Ce ne serait pas grave, répondit Estelle. Franchement, on n'est plus des bébés !

— Bonne nouvelle, dit sa mère, si vous n'êtes plus des bébés, on va vous faire travailler.

Fleurette voulut leur confier la tâche de gonfler les ballons ; Estelle prétendit que ça lui donnait mal à la tête et Lulu, mal au cœur. Elles se mirent à deux pour convaincre Arthur de les souffler lui-même.

— Dites oui, mon oncle, dites oui, implora Lulu avec une voix de petite fille. Nous, on va faire la banderole, c'est promis !

Et oubliant un moment qu'elles avaient beaucoup grandi, les deux cousines s'accrochèrent à la chemise d'Arthur et lui grimpèrent sur le dos. Estelle fit mine de l'étrangler s'il n'acceptait pas leur requête et Lulu se mit à le chatouiller en poussant des cris de joie. Arthur s'étouffa de rire et souleva les deux cousines à bout de bras pour réussir à les faire lâcher prise.

Lulu adorait se chamailler juste pour le plaisir, juste pour sentir qu'un père, c'est grand, c'est fort ! Ça peut vous projeter dans les airs et vous rattraper dans ses gros bras solides et affectueux.

— Encore, mon oncle Arthur, encore ! s'écria Lulu qui venait de faire une culbute incroyable.

— Vous allez me faire mourir, protesta Arthur qui n'en pouvait plus. Je ne suis plus jeune jeune, vous savez !

— T'es quand même pas un vieux pépère comme monsieur Des Rosiers, dit Estelle qui était crampée de rire.

— Bon, ça suffit, les filles, débarrassez la place ou rendez-vous utiles, dit Fleurette en riant.

— Viens, Lulu, viens dans ma chambre, je vais te montrer quelque chose.

— Profites-en donc pour faire ton ménage, ma belle Estelle, ce serait pas du luxe.

Estelle murmura tout bas :

— Maudit ménage ! C'est l'obsession de toutes les mères !

— À qui le dis-tu ! répondit Lulu.

Les deux cousines s'installèrent sur le lit. Lulu savait qu'elle devrait écouter Estelle lui vanter les beaux yeux du cousin Gary ! « Pourvu que ça ne dure pas tout l'après-midi ! » pensa-t-elle.

Estelle lui tendit une photo noir et blanc d'un grand garçon, appuyé sur une clôture quelque part à la campagne.

— Je suppose que c'est lui ! dit Lulu avec une moue dédaigneuse. Qu'est-ce qu'il fait avec ça sur la tête ? Il se prend pour un cow-boy ou quoi ?

Lulu avait encore en travers de la gorge les remarques désobligeantes d'Estelle sur les taches de rousseur de Luc. Elle n'avait pas l'intention de la laisser s'en tirer à si bon compte. Une petite vengeance s'imposait.

— Comment tu le trouves ? la pressa Estelle qui ne pouvait dissimuler à quel point il lui plaisait.

Lulu plissa les yeux pour montrer qu'avec une si mauvaise photo, il était difficile de se faire une opinion... il était facile d'imaginer le pire !

— Il me semble qu'il a un gros nez, tu trouves pas ? lui dit-elle sans trop insister.

— Arrête donc de critiquer tout le temps. Moi, je trouve qu'il ressemble à un acteur de cinéma.

— Oui !... À King Kong peut-être !

— Aaaaah ! arrête de te moquer de moi, fit Estelle en sautant sur Lulu qui se mit à pousser des petits cris stridents.

La voix de Fleurette retentit dans le petit chalet.

— Ça suffit, les filles. Allez vous énerver ailleurs, je ne peux plus vous entendre.

— Viens, Lulu. J'ai une bonne idée. On va aller se faire tirer les cartes par mémère Tourville.

Mimi Tourville n'était pas seulement douée pour prédire la pluie et le beau temps, elle avait aussi le don de lire l'avenir dans les cartes et dans les feuilles de thé. Elle recevait ses clients dans son arrière-boutique et presque toutes les femmes de l'île avaient déjà eu recours à ses services.

— Ma mère voudra jamais, protesta Lulu.

— Mais on lui dira pas, espèce d'idiote ! La mienne non plus ne le sait pas. Inquiète-toi pas, j'ai assez d'argent pour nous deux, ça coûte cinquante cennes, pis j'ai une piastre. On a juste à dire qu'on s'en va se promener, c'est tout.

— Mais qu'est-ce que je vais lui dire à mémère Tourville ?

Lulu s'inquiétait pour rien. Tous ceux qui avaient eu recours aux services de la voyante auraient pu lui dire qu'elle n'aurait pas beaucoup de chances de placer un mot. Dans le royaume de mémère Tourville, elle était seul maître à bord et son esprit ne pouvait fonctionner que dans le silence.

— La semaine dernière, dit Estelle, elle a prédit à mon oncle André qu'il allait rencontrer une très belle femme avec des yeux bleus. Depuis ce temps-là, il est de bonne humeur et il surveille la couleur des yeux de toutes les femmes qu'il rencontre. J'ai assez hâte de voir si mémère Tourville va me parler de Gary…

« Ah non ! » pensa Lulu en serrant plus fort dans sa poche la photo de Luc.

« Peut-être que mémère Tourville va pouvoir me dire si Luc pense à moi comme je pense à lui… Peut-être… »

4

# Les prédictions de Mimi

15 minutes plus tard…

Mimi Tourville se fit un peu prier. Elle n'aimait pas avoir pour clientes deux adolescentes qui lui juraient sur la tête de leur chien — en plus, ce n'était pas vraiment leur chien ; tout le monde savait que Good Night avait été trouvé par hasard dans le ruisseau ! — qui lui juraient, donc, qu'elles avaient la permission de leurs mères et qu'elles ne raconteraient à personne, vraiment à personne, ce qui se dirait dans son arrière-boutique.

— Vous comprenez, mémère, on n'est plus des bébés, lui dit Estelle. On a besoin de connaître notre avenir… C'est très important.

— Oui, oui ! ajouta Lulu qui ne trouva rien à dire de plus convaincant.

Mémère Tourville les écoutait en hochant la tête, sans dire un mot. Elle les scrutait de ses petits yeux tellement plissés que ses prunelles ressemblaient à deux minuscules gouttes d'eau au fond d'un trou. Elle en avait vu d'autres, la vieille ! Ce n'étaient pas deux adolescentes exaltées qui allaient venir l'énerver.

Estelle, qui tenait à lui prouver qu'elle ne parlait pas à tort et à travers, lui tendit ses quatre pièces de vingt-cinq cents. Avant même qu'elle puisse s'en rendre compte, Mimi les avait enfouies au fond de sa poche. Elles en restèrent, toutes les deux, bouche bée. Lulu jeta à sa cousine un regard plein de reproches. Estelle lui avait pourtant répété plusieurs fois qu'on ne devait payer qu'à la toute fin : « À un moment donné, lui avait-elle expliqué, mémère ramasse les cartes et elle dépose le paquet devant elle sur la table, c'est le signal que c'est le temps de payer. Il paraît que ça se passe toujours comme ça ! » Et voilà qu'elle avait bêtement payé avant !

Mimi Tourville se caressait la moustache d'une main — c'était un geste coutumier quand elle réfléchissait — et, de l'autre, elle faisait tinter les pièces de monnaie dans sa poche. Leur bruit rappelait à Estelle son étourderie, et Lulu, découragée, était sur le point de s'enfuir en courant.

Mémère Tourville sembla pourtant changer d'idée

et se dirigea vers le fond de la salle, suivie de près par Good Night qui voulait peut-être, lui aussi, connaître son avenir !

— Entrez, mesdemoiselles, finit-elle par dire en repoussant le vieux tissu moiré qui servait de porte à son refuge.

Elles hésitèrent un moment.

— C'est les deux ensemble… ou rien du tout. Choisissez ! leur dit la voyante avec l'air de vouloir en finir au plus vite.

Les deux cousines se consultèrent du regard.

— Et pas de chien ! ordonna la vieille dame avec une mine dégoûtée.

Sur ce point, elle avait toujours été catégorique. Jamais un chien ne mettrait ses sales pattes dans son domaine. Good Night se vit chasser sur-le-champ et alla se réfugier piteusement sur la galerie.

Les filles se décidèrent enfin à entrer dans la tanière de mémère Tourville, la seule et unique sorcière de l'île aux Cerises.

La pièce était minuscule. Elle avait la dimension d'un grand placard. Aucune fenêtre. Il y faisait une chaleur suffocante ! Estelle et Lulu essayaient de se trouver des repères, mais leurs yeux encore pleins de soleil se heurtaient à l'obscurité profonde de la chambre mystérieuse.

À peine entrée, mémère Tourville s'immobilisa quelques secondes. On n'entendit plus que sa respiration bruyante qui sifflait dans le silence. Puis plus rien, on aurait dit qu'elle avait cessé de respirer.

Les deux cousines attendaient sans bouger.

— Lulu ! chuchota Estelle qui sentait la panique la gagner.

Lulu savait que sa cousine avait toujours eu très peur du noir et qu'elle dormait encore avec une veilleuse au pied de son lit. Elle lui prit la main et la serra très fort.

Mémère Tourville avait une réputation de sorcière à maintenir et elle ne détestait pas effrayer les enfants à l'occasion. Elle les fit sursauter en poussant un cri sauvage qui n'était en fait que le résultat du choc de son gros orteil contre le pied de la table. Lulu réussit à agripper le rideau derrière elle et à l'ouvrir un peu. Un mince filet de lumière se glissa sur le sol, entraînant avec lui un nuage de poussière.

Dans la pénombre, les cousines finirent par distinguer la maigre silhouette de mémère Tourville qui disparut tout à coup derrière une masse sombre. Seule sa tête semblait flotter dans l'espace, auréolée de brouillard. On l'entendit craquer une allumette de bois et la bougie, posée à côté d'elle, illumina son visage. La flamme vacillante donnait à la vieille femme une expression terrifiante. Jamais elle n'avait tant mérité son surnom de sorcière.

— Asseyez-vous donc, mesdemoiselles, dit-elle d'une voix sèche et cassante.

Les filles avancèrent d'un pas et se butèrent à deux

petits bancs de bois sur lesquels elles s'installèrent tant bien que mal. Leurs genoux se touchaient et elles crurent l'une comme l'autre y déceler un léger tremblement qui pouvait trahir une certaine peur.

Mimi Tourville était installée à une petite table qu'elle avait recouverte d'un vieux tapis, rongé par les mites. De ses mains décharnées, elle ouvrit une vieille boîte de cigares et en sortit un paquet de cartes qui paraissait avoir beaucoup servi. Elle le tendit à Estelle en poussant un long soupir exaspéré.

— Brasse et coupe de la main gauche… celle du cœur, chuchota-t-elle, les yeux rivés sur ceux d'Estelle qui sentit son front se couvrir d'une légère sueur.

Estelle, qui n'avait jamais réussi à brasser les cartes sans les échapper par terre, fit du mieux qu'elle put, surveillée par Lulu qui regrettait de ne pas avoir été choisie la première. Estelle avait les mains moites et se reprit à deux fois pour couper.

— Assez ! la réprimanda Mimi qui, s'emparant des cartes, se mit à les manipuler avec une aisance qui émerveilla les deux cousines.

La cartomancienne préleva les quinze premières cartes du paquet et les posa à l'envers, en demi-cercle sur la table.

Lulu, qui voulait tout comprendre, essayait de mémoriser tous ces mouvements, mais son esprit était engourdi par la chaleur ; sa vue, embrouillée par la lueur de la bougie qui dévorait l'ombre sur la table ; et son odorat, occupé à identifier l'odeur insolite qui se dégageait du repaire de mémère Tourville : un mélange de poussière, de soufre, de cire brûlante, de vieux bois pourri et de chaleur humaine ! Elle avait la pénible impression de manquer d'air et regrettait de s'être laissé entraîner dans cette aventure.

— Un, deux, trois, quatre, cinq…

Mimi se mit à compter les cartes en martelant chacune d'elles de son index pointu, à l'ongle aussi dur que de la corne. Quand elle arriva au chiffre cinq, elle retourna… la dame de cœur.

— Une femme aux cheveux pâles…, dit-elle, d'une voix pleine de sous-entendus.

Estelle tressaillit. Elle se sentit tout de suite concernée : ses cheveux avaient déjà beaucoup pâli depuis le début de l'été.

— Un, deux, trois, quatre, cinq…

Le valet de carreau fit son entrée sur la table.

— Cette femme blonde, dit Mimi en pointant la première carte, a un penchant pour ce jeune homme… Et son doigt pointu s'abattit sur le costume bariolé du valet de carreau.

Estelle frémissait sur son banc. Ses genoux se pressèrent contre ceux de Lulu qui tenta en vain de reculer.

— Un, deux, trois, quatre, cinq… C'est un étranger… Il vient de loin, de très loin…

Estelle ne put s'empêcher de saisir la main de sa cousine dont elle écrasa les doigts avec nervosité. Cette dernière, de mauvaise humeur, voulut échapper à son emprise, mais Estelle s'accrochait. Elle était possédée par les paroles de mémère Tourville, qui n'était plus à ses yeux mémère Tourville, mais la messagère de son destin venue lui annoncer…

— Ce visiteur parle une langue incompréhensible…, poursuivit Mimi qui semblait de plus en plus habitée par on ne sait quel esprit divinateur. Il est grand, très grand, c'est un géant… Il regarde autour de lui… Il cherche…

— Qu'est-ce qu'il cherche ? demanda Estelle, un peu contrariée.

— Taisez-vous, trancha la vieille.

Estelle regrettait d'avoir osé poser une question, mais elle aurait tant voulu en savoir davantage…

Mémère Tourville, irritée par son intervention, fit claquer le quatre de cœur sur la table.

— Méfiez-vous… (Sa voix descendit si bas qu'on aurait dit pépère Tourville en personne.) Je vois de la tromperie, de la déception, des larmes… Une femme brune vous trahira.

Estelle lança vers Lulu un regard méfiant. Celle-ci, en guise de réponse, haussa les épaules ; ce qui signifiait : « Tu es folle ou quoi ! »

— Méfiez-vous aussi de la pluie… Un, deux, trois,

quatre, cinq… La maladie… Je vois de la maladie… Et de la pluie, beaucoup de pluie…

Mémère Tourville s'arrêta brusquement de parler et remit les cartes en paquet devant elle. Elle en avait fini avec Estelle qui ne cacha pas sa déception. Puis, comme si elle découvrait la présence de Lulu, la vieille répandit le jeu pêle-mêle sur la table et lui dit avec sa voix redevenue familière :

— Concentre-toi. Passe tes mains sur les cartes et choisis-en trois… Sans les regarder !

Lulu sentit que la cartomancienne en avait assez et qu'elle essaierait de se débarrasser d'elle le plus vite possible ; elle fit donc exprès de prendre son temps pour faire son choix, mais les cartes lui semblèrent brûlantes et elle se hâta de les remettre à Mimi qui n'avait pas cessé de la dévisager, sans battre des paupières.

— Étrange… Très étrange…, répéta Mimi en examinant les trois cartes en éventail dans sa main.

Son visage arborait une expression énigmatique. Elle paraissait chercher au-delà des cartes une explication qu'elle ne trouverait qu'au plus profond d'elle-même, là où s'exerçaient ses dons de clairvoyance.

Lulu, troublée, imagina que tous les malheurs de la terre allaient lui tomber dessus et chercha du réconfort auprès de sa cousine. Celle-ci, envoûtée par les prédictions de mémère Tourville, la considérait déjà comme une rivale possible et resta imperturbable, les yeux perdus dans le vague. Lulu lui pinça la cuisse, histoire de la réveiller un peu, Estelle la repoussa.

— Arrête ! Laisse-moi tranquille, lui dit-elle.

Mémère Tourville, qui n'avait rien perdu de leur petit manège, finit par déposer sur la table les trois cartes choisies par Lulu : au milieu se trouvait la dame de trèfle et, de chaque côté, le valet de trèfle et le valet de cœur.

— Qu'est-ce que vous dites de ça, mesdemoiselles ? demanda Mimi en ricanant.

Elle avait l'air de supposer que les cousines pouvaient deviner de quoi il s'agissait.

Toutes deux haussèrent les épaules.

— C'est une combinaison très rare. Deux forces s'affrontent. Qui triomphera ?... Je vois des larmes, beaucoup de larmes. Tire une autre carte, ma belle, dit-elle en souriant d'une manière diabolique. Au hasard, le plus vite possible !... Et retourne-la, tout de suite !

Lulu obéit sur-le-champ et, sur la table, elle coucha... l'as de pique, sous le regard horrifié de la vieille. Cette dernière détestait l'as de pique. C'était son ennemi juré. Il représentait à ses yeux toutes les calamités que les dieux maléfiques réservaient aux pauvres humains.

Good Night, jusque-là silencieux, se mit à hurler sur la galerie. Les deux cousines sursautèrent et mémère Tourville, prise de colère, ramassa la carte maudite et se mit à brasser les cartes avec frénésie, histoire de chasser les mauvais esprits. Le chien se calma. On ne l'entendit plus.

Mémère Tourville qui ne voulait pas terminer sur une mauvaise note dit à Lulu :

— Bon, un dernier jeu ! Fais un désir. Concentre-toi et coupe de la main gauche.

Lulu ferma les yeux et pensa à Luc de toutes ses forces.

— Maintenant. Je vais retourner dix cartes. Si le roi de cœur apparaît avant la dixième carte, ton vœu sera exaucé.

Lulu glissa la main dans sa poche et serra entre ses doigts la photo de Luc.

Mémère Tourville retourna la première carte. Le huit de cœur. Puis le huit de carreau… suivi du huit de pique. Les deux cousines, surprises par la présence de ces trois huit, l'interrogeaient du regard.

« C'est un bon ou un mauvais présage ? » se demandaient-elles, excitées. La vieille esquissa un semblant de sourire.

— Allons, concentre-toi, Lulu, dit-elle en retournant la quatrième carte.

Le roi de cœur, plus flamboyant que jamais, apparut entre ses doigts tordus.

— Ton vœu sera exaucé, proclama Mimi, heureuse de terminer sur une bonne nouvelle.

— Ah oui ? murmura Lulu qui avait du mal à y croire.

— Puisque je te le dis !… Tu oserais douter de mémère Tourville ?

— Non, non. Je vous crois… C'est juste que…

— Tu voudrais plus de détails peut-être ?

Lulu ne savait plus quoi répondre. Mémère Tourville se frotta le nez puis s'attarda longuement sur sa moustache. Son visage était comme éclairé de l'intérieur quand elle ajouta :

— Eh bien… Je dirais… que c'est une fille… Une belle petite fille, dit-elle en martelant bien chaque syllabe.

Lulu en eut le souffle coupé. C'était inimaginable ! Elle était à la fois heureuse et effrayée.

Estelle, qui ne comprenait rien, s'agitait sur son banc et réclamait de la part de sa cousine des explications sur-le-champ.

— Plus tard. Je te le dirai plus tard ! lui répondit Lulu, encore sous le choc.

Comment mémère Tourville avait-elle pu deviner que Lulu avait souhaité pour Luc la naissance d'une petite sœur ? Comment était-ce possible ? Personne n'était au courant sur l'île ! Personne ! Cette femme était donc une véritable sorcière ? Et si c'était vrai, est-ce que toutes ses prédictions allaient se réaliser ?

La vieille cartomancienne semblait épuisée. Elle rangea ses cartes dans sa boîte à cigares et s'apprêtait à se lever quand Lulu, qui voulait en avoir le cœur net, osa lui demander :

— Qu'est-ce que ça voulait dire, l'as de pique ?

— J'ai dit tout ce que j'avais à dire, fit Mimi d'un ton sans équivoque.

Good Night se remit à hurler.

— Allez, sortez d'ici et débarrassez-moi de ce chien insupportable qui devrait retourner d'où il est venu !

Et d'une voix caverneuse elle ajouta :

— Il est venu du ruisseau, qu'il retourne au ruisseau !

Lulu, craignant que la phrase de mémère Tourville ne se transforme en mauvais sort, se hâta d'aller retrouver son petit terrier. Il ne cessa de japper que lorsqu'il se sentit enfin en sécurité dans ses bras.

Mémère Tourville les regarda s'éloigner tous les trois, le cœur serré. L'as de pique ! Elle ne l'avait pas vu depuis longtemps, celui-là ! L'as de pique ! Pourquoi fallait-il que ce soit aujourd'hui ?

# 5

# Il pleut sur l'île aux Cerises

Samedi 13 juillet
Au petit jour

Lulu dormit très mal cette nuit-là sans trop savoir pourquoi. Peut-être les prédictions de mémère Tourville l'avaient-elles bouleversée plus qu'elle ne voulait se l'avouer.

Elle finit enfin par s'assoupir au petit matin et rêva… que l'île aux Cerises n'existait plus ! Il n'y avait que de l'eau. Le ciel était noir, et pourtant c'était le jour. Le vent était froid, et pourtant c'était l'été. De l'eau partout. Et tous les chalets flottaient sur le fleuve, tels de pauvres bateaux à la dérive. Les habitants de l'île semblaient tous avoir disparu dans un raz-de-marée impitoyable et elle s'inquiétait d'en être la seule survivante. Prisonnière de sa maison flottante, elle criait : « Au secours ! Au secours ! » Sa voix résonnait dans la brume, mais seul l'écho lui répondait.

Une chaloupe surgit tout à coup du brouillard et dériva jusqu'à elle. Lulu sentit renaître l'espoir en son cœur : quelqu'un allait enfin lui venir en aide ! L'obscurité déformait l'apparence des choses et, jusqu'à la dernière minute, elle crut y discerner la silhouette de son cousin Michel, la tête recouverte d'un grand capuchon noir qui lui cachait le visage. La barque s'immobilisa. Lulu constata qu'elle était vide !

Elle allait se mettre à pleurer de découragement quand des jappements venus du fond de la chaloupe lui redonnèrent courage. Lulu ne pouvait en douter : c'était lui ! Son terrier adoré.

— Good Night ! Viens, mon beau, viens ! lui cria-t-elle, des larmes plein la voix.

Le chien refusa d'obéir. « C'est bizarre ! » Good Night jappa encore plus fort. Pourquoi ne venait-il pas se jeter dans ses bras ? Elle tenta de l'attirer par tous les petits noms doux qu'elle avait l'habitude de lui donner.

— Viens, mon beau trésor ! Mon paquet de poils ! Viens, mon Goody d'amour…

C'était peine perdue ! Quelque chose le retenait au fond de la chaloupe, une force inconnue que Lulu ne pouvait identifier. Soudain, comme par magie, la brume s'éleva et chaque détail lui apparut avec une netteté surprenante.

Pauvre Good Night ! Le malheureux était retenu prisonnier au fond de la chaloupe par une substance gluante formée de centaines de cartes d'as de pique agglutinées dans les algues et la vase. Lulu ne pouvait plus rien pour lui.

Elle poussa un cri d'horreur qui ne parvint jamais à sortir de sa bouche grande ouverte. Ses lèvres muettes s'obstinèrent en vain à prononcer le nom de Good Night pendant que la chaloupe s'éloignait dans la brume, avec à son bord le chien qui gémissait tout bas.

Un coup de tonnerre violent fracassa le ciel.

Lulu se réveilla en sursaut. La pâle lumière de l'aube mit fin à ses visions d'horreur.

Un cauchemar ! Elle mit du temps à réaliser que ce n'était qu'un cauchemar. Les images qui défilaient encore dans sa tête étaient si nettes, si précises qu'elle aurait pu jurer que tout ce qu'elle avait vu était vrai.

« C'est donc cela, faire un cauchemar ? pensa-t-elle. Pauvre grand-papa Léon ! » En effet, son grand-père avait subi cette torture pendant des années sans que personne autour de lui ne comprenne ce qu'il ressentait vraiment.

Pour la première fois de sa vie, Lulu, qui s'était toujours vantée de ne faire que de beaux rêves, avait éprouvé la même peur que lui. Elle avait du mal à reprendre son souffle, et son pyjama était trempé de sueur. Les grondements de l'orage qui l'avaient fait passer du rêve à la réalité diminuèrent peu à peu.

— Tu es là, Good Night ? demanda-t-elle tout bas, encore effrayée par ce qu'elle venait de vivre.

En entendant son nom, le chien se précipita sur le lit, et Lulu le serra très fort dans ses bras. Son petit cœur battait à tout rompre.

— Tu trembles, mon bébé ! Tu as fait le même rêve que moi, j'en suis sûre !... J'ai eu si peur... Je n'irai plus jamais chez mémère Tourville ! Je le jure !

Good Night se mit à couiner de plaisir.

— Chut ! lui dit-elle. Tout le monde dort encore.

Les deux amis, blottis l'un contre l'autre, s'assoupirent, bercés par la pluie qui jouait des percussions sur le vieux toit de tôle. Tic tic ! Toc toc ! Tic... Tic... Dormez, dormez ! Les mauvais esprits s'en sont allés. Tic, toc toc, tic !

Dans le chalet des Tremblay, Arthur s'était levé le premier. Il sirotait son café dans la cuisine en regardant tomber la pluie. « Maudite température ! » constata-t-il sans se plaindre. Il avait l'habitude de prendre la vie comme elle se présentait. À quoi bon se morfondre et être rongé de regrets quand de toute façon on n'y pouvait rien ? Telle était sa philosophie et cela faisait de lui un homme agréable pour sa famille et ses amis. Il regarda sa montre et, de sa voix de stentor, il s'écria :

— Debout, tout le monde ! Il est passé huit heures !

Fleurette apparut tout de suite dans la cuisine, l'air ahuri, les bigoudis sur la tête.

— J'ai tellement mal dormi, dit-elle à son mari.

— C'est pas étonnant ! Moi non plus, j'aurais pas fermé l'œil de la nuit avec ça sur la tête !

— Oui, mais attends de voir le résultat. Je vais être tellement belle que tu vas me redemander en mariage.

Ils s'embrassèrent dans la véranda. Fleurette sentait encore le sommeil et Arthur avait du café sur la moustache. Ils rirent tous les deux. Ah ! l'amour !

— Allez, va réveiller la p'tite, mon pit.

Estelle avait passé elle aussi une fort mauvaise nuit. Elle s'était réveillée plusieurs fois pour vérifier l'heure à son petit réveille-matin placé bien en évidence à côté de son lit. La nuit lui avait paru interminable. Elle était si fatiguée qu'au petit matin, elle avait sombré dans un sommeil profond que même le tonnerre n'arrivait pas à troubler.

— Estelle ! lui cria son père. Debout, paresseuse !

Elle grogna de mécontentement et enfouit sa tête sous l'oreiller.

— Si tu veux recevoir la visite en pyjama, c'est ton choix…

— Quoi ! dit-elle en bondissant hors du lit.

Elle venait de réaliser que c'était aujourd'hui, oui ! aujourd'hui… l'arrivée de son cousin Gary !

« Oh non ! pas de la pluie ! se dit-elle en se redressant sur son lit. Lulu va être frisée comme un mouton et, moi, je vais avoir des grandes couettes raides aplaties sur la tête. On va être belles, toutes les deux ! »

Grand-maman Alice se leva pour préparer le petit-déjeuner de Léon qui l'attendait, depuis longtemps, assis à la table. Son pyjama rayé flottait autour de son corps devenu si maigre et, dans ses pantoufles, ses vieux pieds osseux ressemblaient à ceux d'un squelette. Il regardait le fleuve avec une grande tristesse.

Alice fit un effort pour paraître gaie et enjouée et quand Hélène se mit à fredonner *I'm Singing in The Rain* qui avait toujours été la chanson fétiche de sa belle-mère, Alice chanta avec elle pour ne pas la décevoir. Elle esquissa même quelques pas de danse pour se rappeler qu'il avait été un temps où elle avait le cœur léger.

Hélène prit en charge le petit-déjeuner. Elle prépara sa meilleure recette de pâte à crêpes et, à sa grande surprise, Léon mangea de bon appétit ; il en redemanda même une deuxième portion. Alice, du coup, retrouva le sourire et décida de porter sa jolie robe fleurie pour célébrer l'anniversaire de Gary. Tant pis pour la pluie !

La bonne odeur des crêpes et du café réveilla Good Night qui mit tout en œuvre pour faire revenir Lulu dans le vrai monde. Elle s'étira paresseusement et ressentit dans le bas du dos une petite douleur qui lui donna envie de se rouler en boule sous sa couverture. Good Night finit par l'abandonner à sa somnolence et préféra aller se poster aux pieds de grand-papa Léon où il savait qu'il trouverait de quoi satisfaire sa gourmandise.

— Ma fille, si tu ne te lèves pas bientôt, ton grand-père va manger toutes les crêpes, cria Hélène qui riait de bon cœur.

— Moi là…, répondit Léon, tout surpris d'avoir tant d'appétit.

Grand-maman Alice se servit un deuxième café et on l'entendit chanter à tue-tête dans la cuisine sa célèbre chanson du soleil : *Oh ! What a beautiful sunshine ! Oh ! What a beautiful day !* qu'elle entonna pour narguer le ciel qui ne savait plus fabriquer que de la pluie.

Léon contracta les muscles de son visage et réussit à produire un semblant de sourire. Alice avait été une femme merveilleuse pour lui pendant toutes ces années. Si vivante ! Si joyeuse ! Quel homme chanceux il avait été de la rencontrer ! Il avala une gorgée de café brûlant. Alice avait toujours fait un excellent café et bien d'autres choses encore…

Lulu, que l'on croyait encore endormie dans son coin, observait la maisonnée à travers ses paupières mi-closes. Elle les voyait rire, se taquiner, déguster leur café, se promettre que la fête de Gary serait réussie malgré le mauvais temps et dire qu'il faudrait être très gentil avec l'oncle Bob qui traversait des moments difficiles.

Elle eut une pensée pour Luc et sa nouvelle petite sœur. Comment savoir si mémère Tourville avait dit la vérité ? Luc était si loin… Son visage restait flou malgré tous ses efforts pour le faire apparaître. Elle préféra cesser de penser à lui… C'était trop triste.

Les femmes commencèrent à laver la vaisselle, et le bruit des tasses et des assiettes dans la vieille bassine de métal lui rappela sa petite enfance, ses premiers étés à l'île aux Cerises. Sa mère et sa grand-mère profitaient parfois de ce moment pour se parler entre femmes, loin de ses petites oreilles indiscrètes, et elle aimait les épier pour en apprendre davantage sur leur univers de grande personne. Elle avait grandi, certes, mais elle savait bien qu'elle ne connaissait pas encore tous leurs secrets.

La petite douleur au bas de son dos déménagea pour aller se réfugier dans son ventre, et Lulu referma les yeux un moment pour essayer de comprendre ce qui se passait dans son corps. « J'ai peut-être faim, se dit-elle. Non !… On dirait que j'ai un peu mal au cœur… »

Elle se pelotonna dans sa couverture et quelque chose de chaud coula entre ses cuisses. « Je ne suis tout de même pas en train de faire pipi au lit ! » pensa-t-elle. Elle glissa la main dans son pyjama. Il était mouillé et sa peau était toute moite. Elle retira ses doigts. Ils étaient rouges de sang.

« Oh non ! Pas aujourd'hui ! Je n'ai vraiment pas envie que ça m'arrive aujourd'hui !… Mon Dieu ! J'espère que je n'ai pas taché les draps ! » songea-t-elle en soulevant ses couvertures.

Le sang avait dessiné un beau soleil tout rouge au milieu du drap blanc. Elle resta figée à le contempler. « C'est moi qui ai fait ça ? se dit-elle. Pourquoi ? Pourquoi est-ce qu'on est obligée de vivre ça ? »

Elle fouilla dans sa valise à la recherche des fameuses serviettes hygiéniques que sa mère l'avait forcée à emporter. Évidemment, elles n'étaient pas là où elle croyait les avoir rangées. Elle fut sur le point de crier : « Maman ! », et s'arrêta juste à temps. Elle n'avait pas envie d'entendre les commentaires de sa mère ni d'écouter ses précieux conseils sur *Ce que toute jeune fille devrait savoir.* Le livre qui portait ce titre prometteur lui avait été offert en cadeau par Hélène pour son treizième anniversaire. Le présent parfait pour une future jeune femme ! Lulu y avait appris tout ce que sa mère n'osait pas lui expliquer en termes précis.

N'oubliez pas que nous sommes en 1957 et qu'à cette époque lointaine les jeunes filles de l'âge de Lulu savaient bien peu de choses sur leur propre corps… et encore moins sur celui des garçons. Plusieurs d'entre elles croyaient que les enfants naissaient dans des feuilles de chou ! Que les cigognes apportaient les bébés à domicile le moment venu ! Et que les Indiens avaient quelque chose à voir avec l'arrivée des nouveau-nés. Toutes ces vieilles croyances avaient la vie dure et, pour découvrir la vérité, les petites filles devaient faire preuve de beaucoup de curiosité et de débrouillardise.

— Bon ! enfin, je les ai trouvées ! marmonna Lulu en mettant la main sur un sac de papier brun au fond de la pochette de sa valise.

Alice et Hélène jacassaient dans la cuisine en rangeant la vaisselle. Hélène n'osa pas profiter de ce moment d'intimité pour tenter de savoir la vérité sur l'état de santé de grand-papa Léon. Elle préféra laisser Alice jouir de ce bref instant de répit. Elle paraissait presque heureuse depuis que son vieux mari avait mangé de bon appétit.

Elles discutèrent donc du temps, leur sujet de conversation préféré après les petites maladies de tous et de chacun. Elles connaissaient des centaines de façons d'en parler sans jamais se répéter.

Un grondement de tonnerre sourd vint confirmer leur plus sombre prédiction : la pluie était là pour rester et l'on ne pourrait se débarrasser d'elle, même en priant saint Jude, le patron des causes désespérées.

Saint Jude ! Lulu ne comprenait pas très bien en quoi le fait d'adresser des prières à un bout de papier épinglé au mur allait changer quelque chose, mais sa grand-mère y croyait avec une ferveur qui ne s'était jamais démentie ! Alice avait souvent recours à saint Jude, surtout ces derniers temps, et elle lui vouait une dévotion particulière.

Lulu s'imaginait qu'il y avait au ciel toute une équipe au garde-à-vous qui n'attendait que le signal d'Alice pour se mettre à l'œuvre et lui porter secours. Saint Christophe était aux aguets pour protéger l'oncle Bob et son fils des accidents de la route (à condition d'avoir dans leur portefeuille la médaille du saint qu'Alice leur avait fait promettre de ne pas oublier) et saint Antoine de Padoue s'était montré digne de confiance quand Léon avait perdu ses précieuses jumelles. Ce n'était pas pour rien qu'Alice disait : « Saint Antoine de Padoue, nez fourré partout ! » Mais de tous les saints invoqués, saint Jude demeurait son préféré. Des causes désespérées, il y en aurait toujours !

« Peut-être qu'il pourrait faire quelque chose pour moi... », pensa Lulu en lançant un œil rempli de doute vers l'image du saint bien en évidence au-dessus de la porte d'entrée.

Léon avait trop mangé et trop bu de café. Ce bref moment d'extase gourmande avait cédé la place à un gargouillis terrible qui provenait de son pauvre ventre ; ce n'était pas de très bon augure. Un besoin irrésistible de faire pipi s'empara de sa vessie. Le vieil homme n'eut pas le temps de réagir et souilla son pyjama.

Fort contrarié, il jura à voix basse. Lulu sursauta et réalisa tout à coup que son grand-père avait été tout ce temps-là témoin de ses moindres gestes.

Leurs regards se croisèrent en silence.

Pendant quelques secondes, ils surent tout l'un de l'autre, lui, le vieillard au bout de sa vie qui n'était plus maître de son corps, et elle, sa petite-fille, en train de devenir une femme. Léon lui tendit la main. Elle comprit tout de suite qu'il avait besoin de son aide. Il l'attira tout près et lui confia à l'oreille :

— J'ai eu un petit accident. Voudrais-tu laver mon pantalon ? Ta grand-mère est si fatiguée.

— Pas de problème, grand-papa. J'avais justement un petit lavage à faire, lui répondit-elle en baissant les yeux. Inquiète-toi pas, on va dire que tu as renversé du sirop sur ton pyjama…

— Et que toi, tu en as profité pour laver tes draps que Good Night avait salis ! Tu les mettras à sécher dans le cabanon. Vite ! On va se dépêcher ! Je vais aller me changer.

Lulu se releva et, dans un grand élan de tendresse, elle lui dit :

— Je t'aime, grand-papa, tu le sais, hein ?

Léon lui sourit en hochant la tête. Il était trop ému pour lui répondre.

Quelques heures plus tard…

Estelle, les cheveux enroulés sur de gros bigoudis, attendait l'heure fatidique pour se coiffer. Elle se montrait fort impatiente. « Plus tu vas les garder longtemps, lui avait recommandé sa mère, plus tes cheveux vont être gonflés. » Fleurette, qui avait enduré les siens toute la nuit, se vantait d'avoir une mise en plis capable de résister à n'importe quelle température. Toutes les femmes de l'île avaient sans doute aussi mal dormi qu'elle, puisque c'était la coutume de se faire belle quand il y avait de la grande visite.

Les yeux rivés à ses jumelles, Fleurette fixait la côte depuis une demi-heure. Les Américains avaient sans doute été retardés par l'orage ; la pluie, après une brève éclaircie, s'était remise à tomber dru. Quel malheur ! On avait sorti deux grands imperméables pour l'oncle Bob et pour Gary, et Léon avait prêté à Arthur son chapeau colonial qui avait résisté à bien des tempêtes.

Fleurette et Alice avaient discuté longuement d'une galerie à l'autre : il devenait de plus en plus improbable que la fête aurait lieu comme prévu dans le jardin. Les deux sœurs en étaient fort déçues. Une garden-party ! Elles en avaient rêvé pendant des jours et des jours. Seul un miracle pourrait tourner la situation en leur faveur !

Un miracle ! Alice considéra que c'était un prétexte trop futile pour déranger saint Jude et suggéra à la place de louer pour la soirée la salle de danse de mémère Tourville. Quelle bonne idée ! Elle était assez grande pour accueillir tous les nombreux invités. Les garçons y transporteraient la bière, les boissons gazeuses, les chips et les ballons. Ce serait moins joli que dans le jardin bien sûr, mais il y aurait de la musique et le fameux juke-box de mémère Tourville ferait danser tout le monde.

Fleurette trouva l'idée excellente, pourtant elle paraissait encore soucieuse ; elle aurait bien aimé pouvoir confier à Alice ce qui la préoccupait, mais elle avait promis de garder le secret. Depuis quelques semaines, les Tremblay, avec la complicité de l'oncle Bob, préparaient une grosse surprise pour célébrer avec éclat l'anniversaire de Gary. Ce devait être le clou de la soirée. Le mauvais temps risquait maintenant de tout compromettre.

Fleurette déposa un moment ses jumelles et examina le ciel. Il était d'un beau gris uniforme et, aussi loin qu'elle pût regarder, rien ne laissait supposer de changement pour le mieux.

— C'est à l'eau, mon pit, dit-elle à son mari. Si tu vois ce que je veux dire…

— Je vois très bien ! Il ne reste plus qu'à prier saint Jude, répondit-il pour se moquer des croyances de sa belle-sœur, Alice.

Fleurette haussa les épaules et retourna à son guet juste à temps pour voir Bob et Gary arriver.

— Ça y est ! C'est eux autres ! cria-t-elle avec enthousiasme.

Grand-maman Alice, qui était à son poste elle aussi, s'exclama :

— Ils sont là ! Je les vois !

Tous les habitants de l'île aux Cerises, armés de jumelles et bien à l'abri dans leurs petits chalets respectifs, scrutaient la côte pour pouvoir se vanter d'avoir été les premiers à voir arriver les Américains. Ce n'était pas tous les jours qu'on recevait de la si grande visite ! Ils s'obstineraient ensuite pendant des heures sur l'heure exacte à laquelle *uncle* Bob avait mis le pied sur le quai après avoir stationné en lieu sûr son magnifique bolide.

— Bob a encore changé de char, c'est incroyable ! dit Alice qui n'avait jamais possédé de voiture de toute sa vie et considérait cela comme un luxe inutile.

Léon eut un regain d'énergie pour revendiquer ses droits de propriété sur ses chères longues-vues.

— Moi là… moi là… J'vois rien !

Alice les lui céda en répétant comme chaque année : « Si on en avait deux paires aussi ! »

— Un Chevrolet Impala ! s'exclama Léon avec une pointe d'envie dans la voix. Ça, c'est tout un char ! Ma foi du bon Dieu ! Gary est plus grand que son père ! ajouta-t-il en plissant les yeux.

— Montre, grand-papa, j'ai rien vu, moi non plus ! C'est pas juste ! J'ai rien vu ! dit Lulu en pleurnichant.

Les supplications de sa fille firent sourire Hélène qui l'avait entendue répéter maintes et maintes fois depuis une semaine qu'elle ne voyait vraiment pas pourquoi tout le monde s'énervait comme ça… Léon, un peu de mauvaise humeur, lui tendit les jumelles.

Estelle, sortie sur la galerie malgré la pluie, faisait de grands signes à Lulu pour lui montrer la chaloupe qui avait maintenant quitté le quai de l'autre rive. « Ils arrivent ! Ils arrivent ! » criait-elle en sautillant sur place. Sa cousine, qui devinait ses paroles plus qu'elle ne les entendait vraiment, la regardait s'exciter avec une pointe de mépris. « Va enlever tes rouleaux », lui cria-t-elle en pointant ses cheveux pour se faire comprendre. Estelle, qui avait oublié qu'elle n'était pas encore coiffée, se précipita à l'intérieur.

Lulu ajusta les lentilles à sa vue et les braqua sur la chaloupe qu'une légère brume au loin rendait un peu floue. Les deux hommes se ressemblaient tant qu'elle passa deux fois de l'un à l'autre avant de différencier le fils du père. *Uncle* Bob, à l'abri sous un énorme parapluie de golf, tenait sur ses genoux un sac de toile qu'il serrait avec précaution contre lui. Gary, lui, n'avait que son chapeau de cow-boy pour se protéger de la pluie, car il avait préféré utiliser l'imperméable en plastique pour protéger son étui à guitare.

— J'arrive pas à bien voir sa figure…, dit Lulu. On dirait qu'il a plein de boutons.

— Passe-moi les jumelles, lui ordonna Alice. Il doit boire trop de Coke. Depuis que sa mère est morte, Bob lui laisse faire n'importe quoi… Ça prendrait une femme dans cette maison-là…

Michel entra en coup de vent dans le chalet. Il était mouillé de la tête aux pieds.

— Mon plancher, mon petit sacripant ! lui cria Alice qui jouait à celle qui était très fâchée.

— Excuse-moi, ma tante, je suis pressé. Je suis juste venu vous dire que mémère Tourville nous prête sa salle gratuitement. Ça va être tout un party ! On va veiller tard, vous pouvez compter là-dessus.

Hélène fit les gros yeux. Elle n'aimait pas que Lulu se couche à des heures indues et la perspective de faire la fête jusque tard dans la nuit ne lui disait rien.

— Tu ferais mieux de cirer tes souliers, Lulu, poursuivit Michel, parce que Denis Tourville t'attend de pied ferme. C'est un champion du rock'n'roll et il a bien hâte de te faire danser.

— Ouach ! Il va attendre longtemps, laisse-moi te le dire. Je danserai avec lui quand les poules auront des dents, rétorqua Lulu avec une telle vigueur que sa mère la regarda, toute surprise.

— T'es bien pâle, toi, aujourd'hui, lui dit-elle. Pourvu que tu ne me couves pas quelque chose !

Lulu ne répondit pas et changea de position sur le tabouret où elle s'était assise. « Que c'est inconfortable de porter ça ! pensa-t-elle. Pourvu que personne ne s'en aperçoive ! » Il lui faudrait plusieurs jours pour s'habituer à sa nouvelle condition féminine. « Quand je pense que ça revient tous les mois ! Ouach ! J'aime mieux ne pas y penser… »

Michel, pour imiter Good Night, s'amusa à secouer

ses cheveux comme un jeune chien fou. Cela déclencha la colère de grand-maman Alice qui menaça de le sortir par la peau des fesses s'il salissait encore le plancher de sa cuisine. Il s'enfuit en riant, mais revint aussitôt se coller la figure contre la porte moustiquaire pour taquiner sa cousine.

— Eh, Lulu ! J'ai oublié de te dire... Denis m'a demandé si tu pouvais lui réserver ta première danse...

— Mais va-t'en donc, espèce de grand niaiseux, lui répondit Lulu. T'as pas encore compris ? Les garçons, ça ne m'intéresse pas, ajouta-t-elle en martelant chaque syllabe. Ça ne m'intéresse pas. C'est clair, non ?

Michel se sauva en ricanant et Good Night se mit à japper après lui. Hélène soupira et regretta une seconde le calme de son petit appartement en ville. Malgré tout ce va-et-vient et aussi incroyable que cela puisse être, Léon s'était assoupi dans son fauteuil. Alice en profita pour suivre seconde après seconde la traversée des Américains. La chaloupe se rapprochait de la rive, l'heure des retrouvailles était enfin arrivée !

— On dirait que la pluie s'est arrêtée, remarqua-t-elle. Allez ! tout le monde sur le quai !

Fleurette et Estelle (toutes deux si bien coiffées !) étaient déjà dehors et saluaient par de grands gestes les nouveaux arrivants qui leur répondaient avec enthousiasme.

Lulu courut se regarder une dernière fois dans le

miroir et se trouva affreuse. « Mon Dieu ! j'ai un bouton sur le nez ! ! s'écria-t-elle, prise de panique. Un bouton ! Je n'ai jamais eu ça de toute ma vie sauf quand j'ai eu la picote. Maman ! Maman ! »

Personne ne l'entendit crier, tout le monde était déjà sur le quai. Il n'y avait plus que Léon qui ronflait dans son coin.

## 6

# Que la fête commence !

Plus tard, dans la soirée…

Tout le monde était déjà réuni à la salle de danse de mémère Tourville quand Alice souffla la bougie et sortit de sa chambre sans faire de bruit. Son cher mari dormait. Elle avait quelques heures de répit devant elle. Il lui avait fait promettre d'aller à la fête dès qu'il serait au lit ; il paraissait si faible qu'elle hésitait encore à le laisser seul. « Good Night va rester avec toi, avait-elle insisté. Si tu as besoin d'aide, dis-lui d'aller chercher Lulu, il va obéir. »

Alice avait revêtu sa jolie robe fleurie et piqué quelques marguerites à son corsage. Le miroir jauni de la cuisine lui renvoya l'image d'une vieille femme triste et fatiguée. Elle arracha les fleurs et les jeta à la poubelle.

Elle sentit venir les larmes et les laissa couler sans les retenir. Puis, un peu apaisée, elle s'essuya les yeux, fit ses dernières recommandations à Good Night qui alla se coucher devant la porte de la chambre, et se dirigea vers la fête.

La salle de danse brillait au loin à travers les arbres. Les lampes à pétrole dessinaient de grands halos dorés qui s'évanouissaient dans la profondeur de la nuit. Alice marchait comme une automate. Les rires et les cris de joie parvenaient jusqu'à elle sans l'atteindre vraiment. Elle se faisait l'effet d'être une étrangère dans son propre village, une voyageuse épuisée revenant de très loin et traînant avec elle une valise trop lourde de souvenirs, de vieilles images délavées et de mille petits bonheurs perdus à jamais. « Secoue-toi, Alice, se dit-elle, allons, un peu de courage ! »

— *My dear Alice,* lui cria l'oncle Bob, enfin ! vous voilà !

Alice le salua de la main et préféra aller rejoindre les deux sœurs de Léon qui sirotaient un *cream soda* dans la balançoire ; ses pauvres jambes avaient besoin d'un peu de repos.

— Léon est couché ? demanda Solange, toujours inquiète.

— Oui, oui. Il dort comme un bébé, répondit Alice.

— Tant mieux, soupira Maria.

Et elles continuèrent à se balancer sans dire un mot.

Combien de temps Alice réussirait-elle à faire semblant que tout allait pour le mieux ?

La salle de danse, déjà bien réchauffée, ouvrait sur la nuit ses grandes fenêtres où l'on voyait à tour de rôle se profiler les danseurs en quête d'un peu d'air frais. Michel, qui attendait le bon moment, fit un clin d'œil complice à Denis Tourville et se dirigea vers le juke-box qui scintillait de toutes ses lumières. La génératrice qui l'activait faisait un bruit d'enfer, mais tout le monde l'oubliait bien vite quand la musique jaillissait de la boîte magique. Michel y glissa une pièce de dix cennes et appuya sur la touche A-1. Le disque d'Elvis Presley *Blue Suede Shoes* tourna sur lui-même et se mit en place. Dès les premiers accords, Denis Tourville, un petit sourire moqueur sur les lèvres, balaya la salle de danse du regard à la recherche de Lulu.

Michel, qui adorait provoquer sa cousine, riait déjà dans sa barbe. Eh oui ! il en avait une maintenant, une vraie ! Tous les matins après s'être rasé, il s'aspergeait le visage d'une lotion terrible dont le parfum tenace répandait autour de lui la preuve de sa jeune virilité. « Tu sens ben bon ! » lui avait dit la belle Marie-Claire qui travaillait au magasin général de l'île Chagnon. Michel n'avait pas perdu de temps et, le dimanche suivant, il lui demandait de devenir sa blonde ; elle avait répondu « oui » avec empressement.

Depuis qu'il travaillait à la ferme, il s'était lié d'amitié avec le grand Tourville. C'est ainsi que tout le monde appelait Denis, l'aîné de la famille. Ce surnom lui était venu surtout à cause de ses allures fendantes et de cette façon qu'il avait de lever le nez sur tout. Fleurette ne voyait pas d'un très bon œil cette amitié entre son fils, « un si bon garçon ! », et le jeune coq de l'île. « Méfie-toi, Michel, lui répétait-elle souvent. Ce garçon, c'est de la mauvaise graine ! »

Le grand Tourville ne mit pas de temps à repérer Lulu qui était assise un peu à l'écart sur une banquette, près d'une fenêtre. La salle de danse était pleine à craquer. Parents et amis avaient accepté avec enthousiasme l'invitation des Tremblay. L'anniversaire de Gary que l'on n'avait pas vu depuis des années leur permettait de se rappeler de bons souvenirs. « Mon Dieu ! que le temps passe vite ! » disaient-ils tous à tour de rôle.

En voyant Denis s'approcher d'elle, Lulu détourna la tête — « Oh non ! pas lui ! » — et fit semblant d'être absorbée par la contemplation du minuscule quartier de lune qui tremblotait sur les eaux du fleuve redevenues paisibles.

Il en fallait plus que ça pour décourager le grand Tourville !

— Eh, Lulu ! Il paraît que tu donnes pas ta place pour danser le rock'n'roll ? Viens donc me montrer ça !

Lulu se contenta de lui lancer un regard chargé de mépris qu'il reçut en bombant le torse et en ricanant bêtement. Pas question pour lui de perdre la face devant une fille, surtout pas une gamine comme celle-là.

Il sortit son peigne de sa poche arrière en balançant un peu les hanches et lissa ses cheveux soigneusement de chaque côté de sa tête sans la quitter du regard. Lulu, quand même intriguée, le surveillait du coin de l'œil. « Quelle niaiserie va-t-il encore inventer ? » pensa-t-elle.

Puis il remonta le col de sa chemise et, d'un geste théâtral, attrapa dans les airs une guitare imaginaire qu'il se mit à gratter avec frénésie. Les jeunes, excités, se regroupèrent autour de lui ; le grand Tourville mijotait quelque chose et personne ne voulait rater ce qui allait se passer. *Blue, blue, blue suede shoes !* Elvis en était à son deuxième couplet quand Denis commença à marier sa voix à celle du rocker. « C'est pas vrai ! » se dit Lulu. Elle était bien la seule à ne pas participer à l'enthousiasme général ; le public, déjà conquis, frémissait de plaisir et encourageait Denis.

— Vas-y. Fais-toi aller ! T'es capable ! criaient les garçons, tandis que les filles, plus timides, se cachaient pour rire.

Ti-Pou, la cadette de la famille Tourville, qui était sa plus grande admiratrice, lui envoyait des baisers du haut de ses sept ans pour lui manifester son soutien indéfectible.

— Vas-y, Deniss, criait-elle en faisant vibrer le « s » final pour que ça rime avec Elvis.

Emporté par la musique et les paroles qu'il connaissait par cœur et soutenu par son fan-club improvisé, Denis se laissa aller et poussa l'audace jusqu'à chanter plus fort que le King lui-même. *Oh ya !* Son heure de gloire était arrivée ! Seule Ti-Pou savait que son frère avait passé des jours et des jours devant le miroir à travailler son imitation d'Elvis ; il allait devenir le King de l'île aux Cerises !

Denis écarta les jambes et plia les genoux dans une pose caractéristique de son idole. Sa petite sœur, au comble du bonheur, poussa un grand cri aigu qui électrisa l'atmosphère. Le jeune chanteur releva la tête, et de fines gouttes de sueur éclaboussèrent son auditoire. Ti-Pou se précipita sur lui et passa autour de son cou un linge à vaisselle qui devait servir à remplacer le foulard de soie avec lequel le King s'essuyait le front avant de le lancer à ses admiratrices hystériques. Elle l'avait vu à la télé, et Ti-Pou croyait dur comme fer à tout ce qu'elle voyait à la télévision.

« Deniss », devenu Elvis, continua à s'agiter dans tous les sens, et ses déhanchements spectaculaires déclenchèrent les applaudissements de toute la salle qui se mit à battre des mains au rythme de la musique. Même sa grand-mère, Mimi Tourville, qui se tenait debout fièrement à côté de son juke-box, se mit à frétiller, possédée par la frénésie d'Elvis. Son chignon, roulé serré sur sa tête, dodelinait de droite à gauche pour suivre le tempo et dans ses yeux brillait une petite lueur qui venait de très loin, du temps de sa jeunesse, quand Alex Tourville, alors son prétendant, la faisait swinger dans des sets carrés endiablés ! *Oh ya !*

Michel poussa quelques cris sauvages pour chauffer encore plus l'atmosphère, et tous les tapeux de pieds se mirent à faire vibrer le vieux plancher de danse. *You can do anything but lay off of my blue suede shoes !* Le King de l'île aux Cerises termina son numéro en beauté en se jetant par terre dans une sorte de grand écart spectaculaire… qui fit craquer ses nouveaux jeans ! Lulu en profita pour éclater de rire très fort, trop contente de le voir se ridiculiser devant tout le monde.

— Des fois, il est niaiseux, mon frère, murmura une petite voix à son oreille.

Elle se retourna et eut du mal à reconnaître Alain Tourville, le plus jeune des garçons de la famille. Lui que Lulu avait toujours vu, à la ferme, crotté et mal habillé, avait revêtu pour la fête ses habits du dimanche devenus trop étroits, et s'était enduit les cheveux d'une pommade graisseuse empruntée à son grand frère. Sa chevelure plaquée sur sa tête donnait plus d'espace à ses grandes oreilles ; elles s'étalaient, si brillantes de propreté qu'elles en étaient presque transparentes.

« Qu'est-ce qu'il a à me regarder comme ça ? se dit-elle. Non, mais quelle famille ! »

Alain ne pouvait quitter Lulu des yeux. Il aurait volontiers donné son unique chemise pour lui prouver qu'il était différent de son frère. Il aurait tant voulu lui plaire et attirer son attention ! Quelle aurait été sa déception d'apprendre que, pour Lulu, il faisait partie du paysage de la ferme au même titre que les poules et les canards !

— Good Night va bien ? lui demanda-t-il après s'être raclé la gorge plusieurs fois.

Le jeune Tourville se souvenait très bien du jour où Lulu avait trouvé tout à fait par hasard le petit chien dans le ruisseau. « Qu'est-ce qu'il me veut, celui-là ? » pensa-t-elle. Elle fit mine de ne pas avoir entendu.

Alain s'essuya la figure avec son mouchoir à carreaux. Il n'osait pas reposer sa question et se contenta de marmonner :

— Il fait chaud ici, hein ?

— Oh oui ! répondit Lulu qui profita de ce prétexte pour courir se rafraîchir sur la galerie.

Il n'osa pas la suivre et, resté seul sur la banquette, il continua à siroter son Seven Up tiède. « Je tenterai ma chance un peu plus tard, pensa-t-il. Peut-être qu'elle va vouloir danser un slow avec moi… peut-être… »

L'orage de l'après-midi avait purifié l'air et libéré tous les parfums de l'été. Les grenouilles s'en donnaient à cœur joie et, selon mémère Tourville, leurs croassements étaient signe de beau temps. Le ciel portait ce soir-là toutes ses étoiles, et le brusque changement de température donnait aux habitants de l'île une autre occasion de s'entretenir de leur sujet préféré.

— En 1936, clama pépère Tourville en mâchouillant sa pipe, on a eu la pire canicule de tous les temps. Huit cents morts au Canada ! Oui, monsieur ! Ensuite, il a plu pendant dix jours d'affilée. Pas une petite pluie fine qui vous caresse le ciboulot, non, une grosse pluie raide qui vous pénètre jusqu'aux os. Ma salopette était tellement mouillée que je pensais que je pesais cinq livres de plus !

Tout le monde se tordait de rire. On avait toujours soupçonné Ulysse Tourville de n'avoir qu'une seule salopette ! Pauvre lui !

Les hommes, regroupés autour de l'oncle Bob, aimaient se remémorer les événements importants qu'ils tenaient à partager avec lui.

— La pire tempête qu'on ait eue, rappela tristement l'oncle André, ça restera toujours celle de 1943.

Tout le monde garda le silence, un moment, en souvenir de Lucien, le père de Lulu, qui y avait trouvé la mort.

— Celle d'il y a trois ans n'était pas mal non plus, renchérit Arthur. J'ai pas honte de le dire, j'ai eu la peur de ma vie…

L'ouragan de 1954 avait frappé l'île un dimanche

midi après la messe. Les habitants de l'île aux Cerises avaient été surpris sur le fleuve dans leurs modestes chaloupes. Heureusement, tous s'en étaient sortis sains et saufs.

— Oui ! on a vraiment été chanceux ! dirent ensemble pépère Tourville et l'oncle André.

Ils s'amusaient à se moquer d'Arthur qui, une fois revenu de sa peur après l'orage, avait répété pendant des semaines : « On a vraiment été chanceux ! »

Les rires fusaient, généreux, et les tapes dans le dos soulignaient que la camaraderie et la fraternité étaient de mise à l'île aux Cerises.

*Uncle* Bob ne tarda pas à leur vanter le merveilleux climat de son Maine et son soleil *wonderful, really wonderful* ! Il passait sans prévenir de l'anglais au français, et ses prouesses de vocabulaire enchantaient son auditoire. À le croire, tout était plus beau, plus grand, plus extraordinaire aux États-Unis ! Il avait une opinion sur tout et aucun sujet de conversation ne le laissait au dépourvu. En quelques heures, il était devenu le point de mire de la petite communauté où chacun rêvait de devenir le grand ami d'*uncle* Bob.

Son fils Gary se tenait tranquille à ses côtés. Il souriait à peine des blagues de son père et détournait le regard quand celui-ci cherchait à épater la galerie. Véritable copie conforme de son paternel, Gary avait poussé trop vite et n'avait pas eu le temps de s'habituer à ce grand corps qui prenait tant de place ! Ses bras interminables pendaient de chaque côté de ses énormes jeans, et ses pieds chaussés des plus grands *running shoes* de la terre attiraient les regards incrédules des petits Québécois ordinaires.

Lulu, qui l'examinait à la dérobée, remarqua qu'il se rongeait les ongles et n'avait pas l'air dans son assiette.

— *My boy,* lui dit son père, place-toi à côté des petites filles, on va comparer vos *running shoes* !

Lulu poussa Estelle du coude.

— Vas-y, toi !

Estelle ne se le fit pas dire deux fois et s'approcha en frétillant de plaisir. Lulu n'en pouvait plus de la voir minauder autour de Gary depuis son arrivée. Il ne paraissait même pas s'en apercevoir et, elle, elle voletait autour de lui, excitée comme une mouche qui ne sait où se poser. « Elle est ridicule ! » pensa Lulu qui était persuadée qu'on ne devait jamais montrer à un garçon à quel point il nous plaisait. C'était à lui après tout à faire les premiers pas !

Ils se penchèrent tous pour voir le petit pied d'Estelle rencontrer l'énorme chaussure de Gary. La différence entre les deux provoqua un immense éclat de rire général. Estelle en profita pour baragouiner quelques mots d'anglais :

— *Oh ! You are really big shoes !* dit-elle à Gary qui regardait le sol, indifférent.

— C'est des *fourteen,* se glorifia l'oncle Bob. Ici, au Québec, on n'en trouve même pas dans les magasins ! Mais aux States, des *fourteen, no problem* ! On a de tout, aux States ! *The biggest shoes of them all !*

Gary leva la tête et croisa le regard de Lulu qui assistait sans rire à cet éloge du pied américain. Comprenait-elle ce qu'il ressentait ?

L'adolescente devinait que Gary aurait sans doute préféré être chez lui, avec ses amis, qui avaient peut-être tous des grands pieds comme lui, qui sait ? Et des boutons plein la figure aussi ? Et des cheveux aussi courts que ceux d'un soldat ! Chez lui, Gary aurait été un garçon parmi tant d'autres ! Ici, il devait affronter l'insatiable curiosité de la grande famille de l'île aux Cerises !

Gary avait passé une année difficile. Il ne s'était pas encore remis du choc terrible qu'avait été pour lui la mort subite de sa mère.

C'était arrivé un matin comme les autres. Elle avait crié : « Gary, t'as oublié ton lunch ! » Il était revenu en courant. Elle l'attendait, souriante, sur la galerie. C'était devenu un petit jeu entre eux : il oubliait son lunch une fois sur deux. Rachel le lui remettait en riant. Elle réclamait un baiser sur la joue qu'il lui refusait du haut de ses six pieds ; il avait passé l'âge d'embrasser sa mère à tout propos. Elle se haussait quand même jusqu'à lui, elle adorait caresser ses cheveux quand il venait tout juste de les faire raser de près… Puis elle regardait partir pour l'école ce grand garçon, son fils adoré, qui était presque un homme… déjà !

Un matin comme les autres…

Quelques heures plus tard, Rachel s'effondrait dans sa cuisine, victime d'une embolie cérébrale. Sa tasse de café inachevée posée sur la table, près d'un catalogue où elle avait encerclé les fleurs qu'elle souhaitait planter dans son jardin, l'été suivant.

Depuis sa mort, les mauvaises herbes avaient envahi les plates-bandes ; Gary avait le cœur trop serré pour prendre la relève de l'infatigable jardinière qu'était sa mère. Depuis qu'il avait perdu cette présence tendre et attentive à ses moindres besoins, Gary faisait le dur apprentissage de la solitude.

Son père dissimulait sa peine sous des dehors de fausse bonne humeur et faisait de son mieux pour s'occuper de lui, mais il avait lui aussi des blessures à guérir.

L'oncle Bob espérait que ces vacances passées avec ses cousins du Québec allaient donner à son fils davantage confiance en lui. C'est ce qu'il avait raconté à Fleurette pendant le souper, devant toute la famille réunie. Gary avait rougi et s'était essuyé le front avec sa serviette de table. Lulu et Estelle avaient baissé la tête, gênées de le voir si mal à l'aise. La diplomatie n'était pas la principale qualité de l'oncle Bob. En revanche, il avait un cœur d'or et l'avait prouvé encore une fois en arrivant les bras chargés de cadeaux pour ses hôtes si accueillants.

Fleurette et Arthur avaient eu droit à une rutilante glacière de camping Coke-a-Cola, à des raquettes de badminton et à un mystérieux sac en toile que Fleurette s'était empressée de faire disparaître aussitôt. Les filles avaient essayé sans succès de découvrir ce qu'il contenait. « C'est une surprise ! » avait fini par leur dire Fleurette, tout énervée. Michel avait reçu un nouveau gant de baseball et Estelle, une pile de revues sur les acteurs de cinéma avec un beau *scrapbook* pour y mettre ses photos préférées.

Grand-maman Alice n'avait pas été oubliée : Bob, selon la tradition, lui avait apporté un nouvel ensemble de salière et de poivrière pour sa collection. Se souvenant qu'elle avait l'habitude d'offrir à la ronde des petites *cup of tea*, il lui avait acheté à Boston deux minuscules théières *salt & pepper* et une jolie boîte en métal de *Boston Tea* nommé ainsi pour rappeler un moment important de l'histoire des États-Unis.

— Quand vous serez autour d'un feu de camp, vous demanderez à Gary de vous raconter ce qui s'est passé une nuit en 1773 dans le port de Boston. Hein, *my boy* ? *The Boston Tea Party. A very nice story !*

Gary lança à son père un regard désespéré. Comment pouvait-il s'imaginer que cette vieille épopée allait intéresser qui que ce soit ? En plus, il s'en souvenait à peine ! L'histoire n'avait jamais été sa matière préférée et il avait tout juste obtenu la note de passage. Comment son père avait-il pu l'oublier ?

— On connaît ça, nous aussi, *uncle* Bob, lança Lulu.

Estelle la regarda, incrédule. Où allait-elle chercher ça ? Elle connaissait à peine l'histoire du Québec… Alors celle des États-Unis !… *dans le port de Boston en 1773 !*

— On l'a étudié à l'école, poursuivit Lulu avec une belle assurance.

— *Oh ! Good ! Good !* répondit l'oncle Bob qui, satisfait de cette réponse, passa à un autre sujet.

Gary respira un peu mieux. Il jeta à Lulu un regard plein de reconnaissance auquel elle répondit par un clin d'œil discret !

— Tu vois, chuchota-t-elle à Estelle. Ça marche ! On a juste à faire comme lui ! On parle fort, on dit qu'on sait des choses et… il nous croit !

— Oui, mais imagine s'il t'avait demandé des détails ! répliqua Estelle en se cachant derrière sa serviette.

Gary, qui avait tout compris, se leva de table pour aller rire un bon coup dans les bécosses… même si ce n'était pas vraiment un endroit où s'attarder ! L'odeur y était franchement insupportable, mais il apprécia quand même ce bref moment de solitude. Après un laps de temps raisonnable, il ressortit. Il ne voulait pas que tout le monde croie qu'il avait mal au ventre ou, pire, qu'il était constipé. « Je me demande où est-ce qu'on peut se laver ? » se demanda-t-il, inquiet, lui qui avait l'habitude de prendre sa douche deux fois par jour !

Malgré toutes les gentillesses qu'on lui prodiguait, Gary se sentait en pays étranger et il appréhendait le moment où son père allait s'en aller et le laisser seul parmi tous ces inconnus.

Il alla rejoindre les deux cousines et put observer à quel point elles étaient différentes l'une de l'autre.

Estelle s'attaquait à sa deuxième part de gâteau, avec un solide appétit. Elle avait du crémage plein le menton et riait de bon cœur aux blagues de l'oncle Bob en répétant « *yes, yes* » pendant que Lulu écoutait les conversations des adultes et paraissait réfléchir.

Sa chevelure le fascinait ! Il n'avait jamais rencontré quelqu'un avec autant de cheveux sur la tête ! «*Funny !* pensa-t-il. Elle a un petit bouton juste sur le bout du nez. » Puis se souvenant qu'il en était couvert lui-même, il s'en voulut d'avoir eu cette pensée. Quand il croisa le regard de Lulu, elle se leva pour aider à desservir la table.

— Aimerais-tu un autre verre de lait, Gary ? lui demanda-t-elle en se penchant vers lui.

Elle était si près qu'il respira son odeur. Elle sentait le savon de bébé. C'était le savon préféré de Gary. Il l'avait employé pendant des années jusqu'à ce que son père le convainque que ce n'était pas un produit pour un homme. Il y avait renoncé à regret. C'était une odeur familière qui le ramenait chez lui, dans sa belle maison près de la mer, où il avait été si heureux pendant des années.

— *No thanks !*… euh… merci, lui répondit-il sans oser la regarder.

Estelle avala sa dernière bouchée à toute vitesse et entreprit elle aussi de ramasser les assiettes.

— Mon Dieu ! s'exclama Fleurette, c'est bien la première fois, les filles, que je vous vois nous aider sans qu'on l'ait demandé ! C'est vrai qu'on a de la grande visite, c'est exceptionnel ! ajouta-t-elle en prenant Gary par le cou.

Gary était d'une timidité maladive et toutes ces manifestations d'affection à son égard le plongeaient dans un embarras total. Depuis qu'ils avaient débarqué à l'île, il n'avait pas eu une minute de repos. Il avait dû serrer des dizaines de mains, embrasser des gens qui étaient pour lui des inconnus, faire semblant de reconnaître des parents dont il avait peine à mémoriser les noms. Tout cela l'avait épuisé. Il n'avait même pas réussi à éteindre toutes les bougies de son gâteau d'anniversaire et Estelle avait soufflé pour lui. Estelle qui était sans cesse à ses côtés et qui s'entêtait à lui parler dans un anglais auquel il ne comprenait rien !

— *Oh ! You are really big shoes !* répéta Estelle qui croyait que Gary ne l'avait pas entendue.

— *Yes… Yes…*

Il regarda Lulu. Peut-être viendrait-elle le tirer d'embarras encore une fois. Elle sourit et vint chercher sa cousine pour l'amener danser. La fête était loin d'être terminée et Gary n'était pas au bout de ses peines.

7

# Et la fête continue

Un peu plus tard…

La chaleur montait dans la salle de danse, et les rafraîchissements furent bientôt tous épuisés. Mémère Tourville saisit cette chance de renflouer sa caisse et fit sortir de la bière et des boissons gazeuses de sa réserve secrète ; la grange ne servait pas seulement à entreposer les blocs de glace. La loi lui interdisait de vendre de l'alcool, mais qui irait porter plainte ? Sûrement pas les danseurs assoiffés qui se ruaient vers le comptoir où le grand Tourville servait les boissons.

Les affaires allaient bon train et il avait déjà accumulé plusieurs belles piastres bien pliées au creux de sa poche. Accablé par la chaleur, il ne se gênait pas pour caler une bière de temps en temps et en offrir une à son ami Michel qui ne disait jamais non. Une bouteille de plus ou de moins, qui verrait la différence ? La belle Marie-Claire n'était pas de cet avis et tentait d'éloigner « son Michel » de cette mauvaise influence.

L'oncle André, encouragé par Bob qui n'aimait pas boire tout seul, s'était laissé convaincre d'avaler lui aussi quelques bières. Les deux veufs s'étaient très vite liés d'amitié. Pour la première fois, André avait rencontré quelqu'un qui avait traversé la même épreuve que lui et pouvait le comprendre. Il n'avait pas bu un seul verre d'alcool depuis la mort de sa femme, Henriette, en 1951 et la tête lui tournait un peu. Il se dirigea d'un pas hésitant vers le juke-box. Les jeunes avaient monopolisé la piste de danse pendant toute la soirée ; il était temps que les vieux prennent leur revanche.

Après avoir hésité longuement devant les titres des chansons qu'il n'arrivait pas à lire sans ses lunettes, il finit par repérer *Catch a Falling Star* chanté par sa vedette préférée, Perry Como. Les premières mesures provoquèrent les huées de tous les moins de vingt ans.

— C'est l'heure des chansons plates, dit Lulu à Estelle. Prépare-toi !

Avec un grand sourire béat, l'oncle André se mit en quête d'une femme aux yeux bleus pour l'accompagner sur le plancher de danse. Après tout, les cartes ne lui avaient-elles pas prédit qu'il en rencontrerait une ? Titubant, mais de bonne humeur, il arpentait la salle à la recherche de l'âme sœur.

Il passa près des yeux bleus de Lison sans les voir et pour cause : la belle n'avait d'yeux que pour Paul. Les deux amoureux avaient passé la soirée à se bécoter sur le bord du fleuve. Ils n'avaient pu résister à leur chanson préférée et tentaient quelques pas de danse. Paul ne pouvait pas lâcher sa canne, alors ils se contentaient de se balancer sur place, en se regardant amoureusement.

— J'te dis que c'est pas essoufflant, danser de même ! lança Estelle qui s'ennuyait un peu.

L'oncle Bob fit une entrée remarquée sur la piste. Sa cavalière, qui n'était autre qu'Hélène, la mère de Lulu, épousa son rythme dès les premières mesures et, à les voir évoluer, tous les deux, on aurait pu croire qu'elle était sa partenaire depuis des années ! Malgré sa taille et sa forte corpulence, Bob se déplaçait avec une souplesse étonnante et semblait ravi d'avoir trouvé quelqu'un d'aussi doué que lui. Lulu était médusée : sa mère savait danser ! Et où donc avait-elle appris tous ces pas compliqués ? Elle s'installa dans un coin avec Estelle pour les épier.

— C'est quoi, cette danse-là ? demanda Estelle

— C'est une danse de vieux, on connaît pas ça !

Bob fit tourner Hélène trois fois sur elle-même ; elle virevolta sans le moindre effort. Elle était prête à s'envoler de nouveau quand il la rattrapa par la taille et la serra un peu plus fort contre lui. Hélène éclata de rire et appuya sa tête une seconde sur son épaule.

— Qu'est-ce qu'elle a à rire comme ça ? demanda Lulu, dégoûtée.

— Peut-être qu'elle est amoureuse de l'oncle Bob… puis qu'ils vont se marier ! Tu vas aller vivre aux États-Unis et… tu vas devenir la sœur de Gary !

— T'es folle, Estelle, ou quoi ? lui répondit Lulu, scandalisée.

Fleurette et Arthur, stimulés par la performance de l'oncle Bob, s'approprièrent à leur tour une grande partie du plancher de danse, exhibant les nombreuses figures de style qu'ils répétaient depuis le début de leur mariage. Michel, accompagné de Marie-Claire, tenta de les imiter à sa façon, mais ses parents multipliaient les difficultés pour les épater et Michel abandonna en s'écroulant de rire : il n'avait plus les jambes assez solides pour rivaliser avec eux.

L'oncle André, désespéré de ne pas avoir trouvé la femme de sa vie, jeta son dévolu sur les deux seuls yeux bleus qu'il put trouver et se lança sur la piste… dans les bras de mémère Tourville ! ! Elle le fit tant tourner qu'il en eut la nausée.

— Quand je pense que Gary a même pas voulu danser avec moi…, soupira Estelle.

— J'vois pas comment t'aurais pu mettre tes bras autour de son cou de toute façon ! lui rétorqua Lulu.

Gary détestait danser. Sa seule expérience de danseur, il l'avait vécue un soir de bal à son collège, et elle s'était soldée par un échec total. Après avoir écrasé les pieds de toutes ses partenaires, il avait renoncé à tout jamais à cette façon de conquérir les filles !

Soulagé de se retrouver seul, il s'assit sur une bûche et se mit à contempler les étoiles. Il aurait pu jurer qu'elles ne brillaient pas aussi fort que dans son coin de pays, et l'odeur du fleuve qui lui chatouillait les narines le rendait nostalgique des embruns de la mer sur le grand quai de sa ville natale.

Il se laissa un moment distraire par les ronflements d'Alain et de Ti-Pou qui s'étaient endormis dans un hamac, sous le grand saule. La petite fille, recroquevillée contre son grand frère, respirait au même rythme que lui ; le sommeil était venu les surprendre au beau milieu de la fête, à l'heure où chaque soir ils allaient au lit. Gary aurait tant aimé faire comme eux ! Dans la fraîcheur de la nuit, il ferma les yeux. « Juste pour une minute ! » se promit-il, mais il ne tarda pas à s'assoupir. Sa tête retomba lourdement sur sa poitrine. Il dormait.

Un bruit infernal, venu du ciel, le fit sursauter si violemment qu'il en tomba de sa bûche et se retrouva assis par terre dans l'herbe mouillée de rosée. Il n'eut pas le temps de réaliser ce qui lui arrivait : tous les parents et amis réunis sur la galerie se mirent à chanter à tue-tête : « Bonne Fête, Gary, bonne fête, Gary, bonne fête, bonne fête, bonne fête… Gaa… ry ! », pendant qu'au-dessus de sa tête, la nuit s'embrasait de rouge et de bleu. Un feu d'artifice ! Voilà donc la surprise que son père lui avait préparée pour ses seize ans. Un feu d'artifice ! Quel cadeau pour un garçon qui souhaitait passer inaperçu !

Gary se releva, mal à l'aise, un peu blessé dans son orgueil. Ses pantalons humides lui collaient aux fesses, et ses muscles encore engourdis de sommeil refusaient de lui obéir.

Ti-Pou et Alain furent eux aussi réveillés par surprise. La petite fille tomba en bas du hamac et se mit à pleurer.

Toute la famille et les amis de la famille se précipitèrent sur Gary pour, encore une fois, l'embrasser, lui serrer la main, lui taper dans le dos, lui frotter les cheveux, lui souhaiter bien du succès dans ses études et une blonde avant la fin de l'année ! « Bonne fête, Gary ! » Ouf !

Les pétards s'envolaient à tour de rôle très haut dans le ciel et, chaque fois, on entendait des « oh ! » et des « ah ! » admiratifs poussés par tous ceux qui n'avaient jamais vu de feux d'artifice de leur vie !

— Si c'est votre premier feu d'artifice, faites un vœu ! cria Arthur.

Lison se pressa contre son fiancé et souhaita la venue d'un enfant qui aurait les beaux yeux de son père. Hélène les regardait avec un brin de jalousie. Ce n'était pas son premier feu, mais elle osa quand même faire un vœu… Il y avait si longtemps qu'un homme ne l'avait pas prise tendrement dans ses bras ! Un jour, peut-être !

Estelle se faufila tout près de Gary et lui fit promettre de danser avec elle après les feux.

— *Oh ! Yes ! Gary, please !* le supplia-t-elle.

— Tu me marches sur les pieds, Estelle, lui fit-il remarquer, tout penaud.

Alice, Solange et Maria se tenaient par la main. Elles pensaient toutes les trois à Léon et demeuraient silencieuses pendant que le ciel éclaboussait de couleurs la vieille balançoire.

Entre chaque fusée, on entendait la voix de l'oncle Bob et celle d'Arthur qui annonçaient les couleurs : « Attention à celui-là, c'est un gros bleu qui pète ! » Et dans le ciel éclatait un tout petit pétard de rien du tout qui avait peine à monter dans les airs. Les enfants se tordaient de rire et de joie. « On a manqué notre coup, criait Arthur. Excusez-la ! » *« Watch this one, my boy ! It's for you »* hurlait Bob à l'intention de son fils.

Chacun retenait son souffle. Gary se laissa peu à peu gagner par l'enthousiasme général. Dans son village, toutes les occasions étaient bonnes pour faire éclater dans les airs des bombes artisanales qu'on achetait au magasin du coin. Il avait sans doute vu plus de feux d'artifice dans sa vie que bien des habitants de l'île aux Cerises. Il observait leurs réactions et comprenait que cette grosse surprise, ce n'était pas seulement pour lui, mais pour tous les enfants de l'île, petits et grands. Une énorme boule de feu explosa au-dessus de leurs têtes, répandant autour d'elle son bouquet d'étincelles. Le visage de mémère Tourville s'illumina en même temps que la fusée. Elle sourit et glissa sa main dans la grosse main rugueuse d'Ulysse, son vieux mari. Elle n'arrivait plus à se souvenir de son premier feu d'artifice, c'était trop loin tout ça.

Arthur et Bob travaillaient dur, passant d'une cuvette de sable à l'autre, et se préparaient à leur grand coup final qui, avec un peu de chance, devrait en mettre plein la vue à tout le monde. L'oncle Bob, de sa voix puissante, entonna l'hymne national de son pays et donna le signal de départ à Arthur qui alluma aussitôt les fusées. Les trois chandelles montèrent en même temps dans le ciel où elles explosèrent avec un synchronisme inespéré. Les trois couleurs du drapeau américain, le bleu, le blanc et le rouge, se superposèrent et la surprise fut telle que tous de concert poussèrent un grand « oh ! » suivi d'un moment de silence.

— C'est beau, hein ? murmura Lulu.

Gary pencha la tête vers elle et c'est dans ses yeux qu'il vit briller les derniers éclats du feu d'artifice qui s'achevait.

— *Tired ?* lui dit-elle en surveillant son accent.

— Un petit peu, répondit-il en riant plus qu'il n'aurait voulu.

— Oh, mon Dieu ! s'exclama Lulu, soudain très inquiète.

— *What ?* Qu'est-ce qu'il y a ?

— Chut ! Écoute.

On entendait au loin des aboiements répétés. Lulu prêta l'oreille encore plus.

— C'est juste un chien, dit Gary qui l'avait entendu, lui aussi.

— Non ! C'est Good Night ! Il est arrivé quelque chose à grand-papa, j'en suis sûre, et Good Night jappe pour nous avertir.

— Je vais y aller avec toi.

Et ils partirent en courant vers le chalet des Côté.

Pendant ce temps…

Grand-papa Léon était étendu par terre devant la porte des bécosses. Quand il ouvrit les yeux, des centaines de petites lumières brillaient au-dessus de lui. « Est-ce que je suis arrivé au ciel ? se demanda-t-il. Comme c'est beau ! »

La présence de Good Night qui se mit à lui lécher la figure avec ardeur le ramena à la réalité. Le petit terrier avait flairé le danger et s'inquiétait pour son vieux maître.

Léon regarda avec surprise autour de lui. Il ne se souvenait pas de s'être déplacé jusque-là. « Je me suis sans doute évanoui… », pensa-t-il. Il essaya en vain de se lever. Son corps était aussi mou que de la guenille et ses jambes frissonnantes ne lui étaient d'aucun secours. Il aurait tant voulu regagner son lit, s'y coucher sans faire de bruit et faire semblant de dormir avant le retour d'Alice. Pauvre Alice ! Elle allait encore se faire du mauvais sang pour lui !

Rassemblant tout son courage, il fit une dernière tentative pour se mettre debout, mais retomba aussitôt sur le sol. Le chien, pris de panique, se mit à tourner sans relâche autour de lui et à japper de toutes ses forces. Léon dut se résoudre à lui ordonner d'aller chercher du secours :

— Va trouver Lulu ! Vas-y ! lui dit-il d'une voix lasse et résignée.

Le petit terrier courut aussi vite qu'il put. Il jappait sans arrêt pour appeler au secours, mais le ciel se moquait de lui ; il explosait de partout ! « C'est peut-être la fin du monde ! » pensa Good Night. Enfin, il reconnut la silhouette de Lulu qui venait à sa rencontre.

Quelques jours plus tard…

Le verdict du médecin tomba comme la foudre sur la petite communauté de l'île. Il n'était plus question de cacher la vérité à qui que ce soit. Grand-papa Léon allait bientôt mourir. Il le savait et tout le monde le savait. Alice s'était laissé convaincre par Hélène qu'il valait mieux en parler. À quoi bon rester seuls avec toute cette douleur ? L'affection que tous leur portaient serait d'un grand réconfort et les aiderait à traverser cette lourde épreuve.

Lulu ne savait pas très bien comment se comporter avec ses grands-parents. Sa mère lui avait recommandé d'être forte et courageuse. Ce n'était pas facile, elle avait envie de pleurer et suivait les moindres déplacements de Léon avec appréhension. « Comment est-ce qu'on fait pour mourir ? Est-ce qu'on le sait, que l'heure est venue ? Ou est-ce que la mort nous prend comme un voleur, comme c'était écrit dans les Saintes Écritures ? » Lulu avait tant de questions étranges dans sa tête…

Elle aurait aimé pouvoir s'enfuir et ne pas avoir à vivre ces moments difficiles. Chaque fois que cette pensée traversait son esprit, elle était prise de remords. « Pauvre grand-papa ! » Ce qu'elle aurait souhaité plus que tout, c'était revenir en arrière et le retrouver en bonne santé. L'entendre bougonner, le faire sourire par des taquineries, même le mettre en colère, tout, plutôt que de voir ses grands yeux inquiets regarder dans le vide.

Le médecin avait déclaré : « Ce n'est plus qu'une question de semaines. Votre mari peut rester ici jusqu'à ce que son état le permette. » Et il avait remis à Alice des médicaments pour apaiser la douleur qui ne tarderait pas à venir.

Attendre ! Il n'y avait plus rien d'autre à faire. Léon ne

voulait pas entendre parler d'aller à l'hôpital et Alice lui avait promis qu'il vivrait ses dernières semaines dans son chalet, près du grand fleuve, entouré de tous les siens. Alice était prête à tous les sacrifices pour tenir cette promesse, dut-elle y laisser sa propre santé.

Les heures qui suivirent l'annonce de la mort imminente de Léon furent remplies de larmes, de sanglots et de tristesse. Lulu étouffait dans cette atmosphère lugubre. Elle avait peur. Un vent de panique secouait son petit univers. Les grandes personnes d'habitude si raisonnables se montraient capables des pires excès. Alice, après le départ du docteur, avait couru vers les bécosses pour vomir. On l'avait entendu s'y lamenter telle une bête blessée. Hélène, qui ne sacrait jamais, s'était pris la tête à deux mains en répétant plusieurs fois : « Criss de vie ! » Fleurette avait délaissé sa bière pour caler un grand verre de gin et Arthur avait frappé du poing sur la table. Michel, que l'on n'avait jamais vu pleurer, avait eu bien du mal à retenir ses larmes. C'était plus que Lulu ne pouvait en supporter.

Elle partit à la recherche d'Estelle. Oh oui ! parler à quelqu'un de son âge, quelqu'un qui comprendrait ce qu'elle pouvait ressentir. Si les adultes perdaient la tête, qui consolerait les enfants ? Qui apaiserait leurs craintes et les aiderait à surmonter leur chagrin ?

Estelle avait tout simplement disparu ! Lulu la chercha partout, elle n'était nulle part ! Elle descendit vers le quai, suivie de Good Night qui ne la quittait plus d'une semelle depuis le soir où Léon avait eu son malaise. Le petit terrier avait tout compris et se tenait aux côtés de sa Lulu, toujours prêt à lui venir en aide. Les chiens ressentent-ils les mêmes émotions que nous ? Elle y croyait parce qu'elle pouvait lire dans les yeux de Good Night toute la compassion du monde. « Ne sois pas si triste, mon petit paquet de poils, je suis là et je t'aime », lui dit-elle en s'asseyant sur le quai. Plongée dans ses pensées, elle ne remarqua pas tout de suite que la chaloupe aussi avait disparu. « Bizarre ! Estelle n'est sûrement pas partie toute seule… à moins que… »

Le menton posé sur ses genoux repliés, elle regardait le fleuve. Il suivait son cours, paisible, dans la lumière vibrante de ce qui allait être une belle journée d'été. Les libellules, gracieuses demoiselles, patinaient sur l'onde presque immobile, et les quenouilles, la tête bien droite, se doraient au soleil. Les criquets craquetaient sans relâche et leur musique assourdissante, loin de déplaire à Lulu, lui rappela que la nature était forte et puissante et que la vie battait dans tout ce qui était vivant sur terre. La vie battait et grand-papa Léon allait mourir !

Elle regretta un moment de ne pas pouvoir se confier à son ami Luc. Son beau sourire et son regard grave lui apparurent l'espace d'une seconde sans que Lulu réussisse à s'y accrocher. Elle prit la décision de lui écrire dès aujourd'hui une longue lettre où elle lui raconterait tout, mais elle ne mit jamais son projet à exécution. Luc était loin… trop loin !

Good Night se mit à japper et à s'agiter sur le quai. La chaloupe était de retour. « C'est bien ce que je pensais… », se dit Lulu. Assise à l'avant, sa cousine Estelle les pointait du doigt pendant que Gary, qui ramait, se préparait à accoster.

— J'ai pris des barbotes ! hurla Estelle qui brandissait devant elle trois gros poissons visqueux à la peau noire et luisante. As-tu vu ? J'en ai trois !

— Estelle Tremblay, t'as vraiment pas de cœur !

Lulu l'apostropha sans même lui laisser le temps de débarquer. Sa colère subite éclata avec plus de vigueur qu'elle ne l'aurait souhaité. Il était trop tard pour reculer, elle allait lui dire le fond de sa pensée.

— Mon grand-père va mourir et, toi, tu vas à la pêche !

— Je le savais pas…, bafouilla Estelle.

— Tu le savais, que le médecin s'en venait, tout le monde le savait. On était tous là à l'attendre. Alors, toi, au lieu de rester avec nous autres, tu t'es dit : « Tiens ! quel bon moment pour aller faire un petit tour de chaloupe et chatouiller la barbote ! » C'est ça, une amie ? C'est ça, quelqu'un sur qui on peut compter ? Je te le pardonnerai jamais, Estelle Tremblay. Puis tes barbotes, j'espère que tu vas t'étouffer avec !

Gary, rouge de confusion, était toujours assis dans la

chaloupe et la retenait au bord du quai. Il aurait préféré se trouver ailleurs, d'autant plus que s'il avait accepté d'accompagner Estelle à la pêche, c'était uniquement parce qu'elle avait beaucoup insisté. Il craignait maintenant d'avoir à subir les reproches de Lulu. Comprendrait-elle qu'il n'y était pour rien ?

— Alors pour toi, riposta Estelle, il nous reste rien d'autre à faire que de brailler vingt-quatre heures sur vingt-quatre. On n'a plus le droit de rire et de s'amuser ! Ton grand-père, y est pas encore mort, tu sauras ! Il est vivant ! Pis nous autres aussi, pis on va pas se laisser abattre pis avoir des têtes d'enterrement ! J'vas aller y montrer mes poissons, moi, à ton grand-père, pis grand-maman Alice, elle va les faire cuire pour son dîner. Pis toi si tu veux continuer à brailler pis à te lamenter, ben vas-y, gêne-toi pas pour moi !

Et Estelle remonta vers le chalet avec ses trois barbotes dans sa chaudière.

Gary prit tout son temps pour attacher la chaloupe. Lulu lui avait tourné le dos et s'était assise à l'autre bout du quai. Il l'observait en silence. Elle pleurait. Il ne la connaissait que depuis quelques jours et pourtant il ne se décidait pas à la laisser seule avec son chagrin. Il comprenait ce qu'elle éprouvait. Il est si difficile de voir partir ceux qu'on aime !

Il s'approcha et s'assit près d'elle sans dire un mot. « Si elle ne se lève pas, se dit-il, c'est qu'elle n'est pas fâchée après moi. » Elle ne bougea pas. Il lui tendit son mouchoir. Elle s'essuya les yeux et le garda à la main.

Du coin de l'œil, il pouvait voir son profil se découper, pâle, sur un fond de verdure.

Lulu pinçait les lèvres. Elle n'avait pas fini de pleurer toutes ses larmes. Avec ses cheveux en broussaille qui allaient dans toutes les directions, elle lui faisait l'effet d'un petit animal sauvage qui sent venir le danger et qui tremble de peur.

Sans rien comprendre de ce qui lui arrivait, Gary eut soudain l'envie incroyable de la serrer très fort dans ses bras. Il n'avait jamais éprouvé cette sensation-là auparavant. Ça n'avait rien à voir avec le désir d'embrasser une jolie fille, un soir, au cinéma en plein air, comme c'était la coutume dans son pays. Non ! C'était quelque chose de plus fort, un grand élan qui partait du cœur, un besoin d'être celui qui console, qui protège, celui qui comprend et sait trouver les mots. Mais, de peur de l'effrayer, il ne suivit pas son instinct et demeura immobile.

Lulu n'était plus en colère. Elle était déçue. Estelle n'avait rien compris. De quel droit se disait-elle son amie si elle était incapable de se mettre à sa place ? Aller à la pêche avec Gary ! Sans même lui en parler ! Préférer être avec Gary et s'amuser alors qu'elle allait avoir à vivre des heures difficiles ! Et ce pauvre Gary, elle avait dû tant insister qu'il avait fini par céder. « Un garçon sensible comme lui n'aurait jamais commis une telle maladresse sans avoir été obligé de le faire ! D'ailleurs, ça se voyait qu'il était très embarrassé ! »

Lulu n'arrivait pas à démêler les sentiments confus qui l'envahissaient. La présence de Gary à ses côtés n'était pas étrangère à son malaise. Quelque chose de doux et de tendre émanait de lui et lui donnait envie de poser sa tête sur son épaule ! « C'est bizarre ! » pensa-t-elle.

Gary cherchait sans succès des mots ordinaires, banals et sans conséquence pour rompre le silence. Son cœur battait un peu trop vite et son estomac était noué comme à la veille d'un examen difficile. C'était à la fois agréable et… surprenant ! D'où lui venait donc cette tendresse subite pour quelqu'un qu'il connaissait à peine ?

Un ange passa… et puis un autre…

Lulu se moucha en essayant de faire le moins de bruit possible (ce n'était pas facile !), puis elle se pencha vers le fleuve pour s'asperger la figure. La fraîcheur de l'eau réveilla en elle un souvenir qui la fit sourire. Gary était heureux de voir qu'elle avait cessé de pleurer.

— Un jour, lui dit-elle, quand j'étais p'tite fille, grand-maman Alice a fait quelque chose de vraiment bizarre ! Elle a plongé du quai tout habillée ! Juste pour me prouver que l'eau était assez chaude pour se baigner !

— *Really !* Tout habillée ?

Ils éclatèrent de rire tous les deux, Lulu pour montrer

à quel point elle admirait la douce folie de sa grand-mère et Gary pour lui montrer à quel point il était intéressé par tout ce qu'elle pourrait lui raconter.

— Qu'est-ce que tu gages que je peux en faire autant ? dit-elle en se tournant vers Gary qui rougit bien malgré lui.

— Tu veux dire... *now* ?

— *Yes !*

— *Well...* Si tu y vas, j'y vais aussi.

— Ça tombe bien, Gary, parce que j'osais pas te le dire, mais... tu sens le poisson !

— *What ?*

Lulu plongea la première, légère et vive comme une truite de rivière, pendant que Gary retirait ses chaussures de sport toutes neuves qui risquaient par leur poids de le faire couler à pic. Il enleva sa chemise et sauta dans l'eau en éclaboussant tout sur son passage, le quai, la chaloupe et surtout ce pauvre Good Night ! Le petit terrier, surpris par la tournure des événements, se secoua plusieurs fois avant de réaliser ce qui lui arrivait et de se mettre à japper. « Comment les humains peuvent-ils changer si vite d'humeur ? pensa Good Night. Il y a à peine cinq minutes, ma petite Lulu pleurait et la voilà qui rit et qui s'amuse dans l'eau avec ce grand nigaud d'Américain ! C'est à n'y rien comprendre. Ils sont fous, ces adolescents ! »

Gary, excellent nageur, se sentait beaucoup plus à l'aise dans l'eau que sur la terre ferme. Il résista sans problème aux assauts de Lulu qui essaya plusieurs fois de le caler, juste pour rire ; ses techniques d'habitude si efficaces ne purent rien contre la force tranquille de Gary. Elle se retrouva bientôt soulevée dans les airs par ses bras puissants. Le grand Américain avait fini par se décider à prendre sa revanche. Après un superbe vol plané au-dessus des flots, elle plongea dans le fleuve, s'étouffa de rire et Gary, croyant lui avoir fait mal, se précipita à sa rescousse. Il ne se doutait pas que Lulu jouait la comédie, histoire de voir à quel point il pouvait s'inquiéter pour elle. Elle préparait sa revanche. Quand il fut tout près et qu'elle le sentit plein de remords et vulnérable, elle en profita pour l'arroser copieusement en battant des pieds.

— Loucie ! Arrête !

Gary était le seul à l'appeler par son vrai prénom et il avait une façon bien à lui de le prononcer qu'elle trouvait irrésistible.

— C'est pas Loucie, c'est Lucie ! dit-elle en l'éclaboussant.

Pendant qu'ils prenaient plaisir à se chamailler et à se quereller pour rire, quelqu'un les épiait, caché derrière le grand saule. C'était Estelle. Partie la tête haute de chez Alice qui l'avait chaudement remerciée de lui avoir apporté de si belles barbotes — « Que t'es donc fine, ma pitoune, c'est le poisson préféré de Léon » —, elle n'avait pas savouré sa victoire bien longtemps. Sur le chemin du retour, les jappements de Good Night avaient attiré son attention ; elle avait eu la surprise de découvrir Lulu et Gary qui s'amusaient comme des petits fous.

« J'te dis que t'as pas pleuré longtemps, hein, Lulu ? » marmonna-t-elle, les dents serrées. Leurs jeux et leurs rires, elle ne voulait ni les voir ni les entendre. Elle ne voulait surtout pas réaliser que Gary, qu'elle avait traîné à la pêche bien malgré lui et qui n'avait pas dit trois phrases de tout le temps qu'avait duré leur randonnée, s'ébattait maintenant dans le fleuve avec Lulu et semblait y prendre un réel plaisir.

« *Gary ! Come on, Gary !* » criait Lulu qui jouait à le provoquer pour ensuite le supplier d'aller à son secours. « *Gary ! Help !* » La voix aiguë de sa cousine exaspérait Estelle au plus haut point. « Depuis quand elle parle anglais, elle ? »

Estelle aurait pu choisir d'aller les rejoindre et de plonger elle aussi du bout du grand quai en faisant une bombe comme elle seule savait le faire. Elle n'avait pas son pareil pour inventer de nouveaux jeux dans l'eau et quand ils se mettaient à plusieurs pour jouer à Marco Polo, elle était infatigable et gagnait à tout coup. Alors pourquoi demeurait-elle cachée ?

— Pour l'amour, qui est-ce qui crie comme ça ? demanda Fleurette qui regagnait son chalet.

— C'est Lulu, répondit Estelle. On dirait pas qu'elle vient d'apprendre que son grand-père va mourir !

— Ne fais pas ta mauvaise langue, Estelle. Il y en a qui vont à la pêche… pis d'autres, qui se baignent. Mais ce qui est drôle… c'est que… c'est toujours avec le même garçon ! répliqua Fleurette, la bouche engourdie par le gin qu'elle avait bu pour se consoler, mais l'esprit toujours aussi vif.

Quelques jours plus tard, la famille de Léon et tous les habitants de l'île aux Cerises qui étaient liés à eux de près ou de loin cessèrent de pleurer et de se lamenter. Le vent avait tourné et chacun était bien décidé à faire sa part pour que Léon puisse connaître la paix et le bonheur pour le temps qui lui restait à vivre sur cette terre.

Alice fut la première à réagir. Elle se leva un bon matin bien décidée à laisser entrer le soleil dans sa maison et dans son cœur. Elle ouvrit tout grands ses beaux rideaux neufs et contempla le ciel où, à sa grande surprise, il n'y avait plus le moindre nuage. Puis elle mit son éternel maillot de bain et se couvrit de sa cape de ratine jaune doré qui lui donnait l'air d'une reine, prit son savon et son shampoing et alla laver ses peines et ses déceptions dans son beau fleuve.

Elle plongea du bout du quai, retrouvant pour quelques secondes l'élan de sa jeunesse. Son corps fatigué pénétra en douceur dans l'eau qui lui sembla si fraîche.

Ses vieilles mains tendues effleurèrent les algues qui ne l'effrayaient plus comme au temps où elle était petite fille. Elle retint son souffle un moment sous l'eau et ouvrit les yeux. Le sable retombait doucement en une petite neige fine autour d'elle, et un faible rayon de soleil transperçait la pénombre. Un poisson ami la frôla et d'un coup de queue s'en alla vers le large. Tout était si calme. Si paisible. Son corps retrouvait une légèreté oubliée et elle flottait, convaincue que la nature serait toujours là pour l'apaiser et lui montrer le chemin à suivre.

Elle remonta à la surface et nagea jusqu'à la grosse pierre où se tenait son ami le grand héron qui semblait à son tour l'observer. Il la regarda venir sans inquiétude et ce n'est qu'au moment où elle allait l'atteindre qu'il prit son envol. Il dessina un grand cercle au-dessus de sa tête avant de s'élancer vers le ciel et elle se fit la promesse d'être à son image, fière et courageuse.

Grand-maman Alice remonta au chalet, ravigotée par ses ablutions matinales. Elle fit la toilette de son vieux mari en chantant, puis le rasa avec soin, sans oublier d'asperger ses joues d'eau de Cologne, celle qui pique la peau et donne aux hommes de belles couleurs. Elle le coiffa et lui mit un pyjama propre, puis l'installa à l'ombre dans sa chaise longue préférée.

Elle revêtit ensuite sa robe du dimanche sans se soucier que l'on n'était que mercredi, fit un gros bouquet des fleurs de son jardin et mit l'eau à chauffer pour le thé. En attendant, elle s'assit sur la galerie en compagnie de Good Night. Tout était prêt. La première personne qui passerait devant le chalet entendrait la célèbre phrase d'Alice : « *A little cup of tea ?* »

8

# La poésie fout le camp !

*Je n'osais pas te le dire*
*Alors laisse-moi te l'écrire*
*Surtout ne ris pas*
*C'est la première fois*
*Tes yeux me parlent en silence*
*Les miens te répondent avec confiance*
*Ils veulent te dire, mon amour,*
*Que je t'aimerai toujours*
*Surtout ne m'oublis pas*
*Je serai toujours près de toi.*

Luc

Ce poème que Luc lui avait écrit d'une main malhabile, Lulu le connaissait par cœur. Elle l'avait lu tant de fois que le papier avait gardé la marque de ses mains quand elle le pressait contre elle, et de ses lèvres quand elle y déposait des baisers enflammés. Il ne se passait pas une journée sans qu'elle ouvrît son journal intime pour regarder encore et encore les mots qu'il avait choisis pour lui parler d'amour. Des mots qui rimaient comme ceux d'un vrai poète. Des mots juste pour elle.

*Surtout ne m'oublis pas* [*sic*]
*Je serai toujours près de toi.*

« C'est bizarre ! pensa-t-elle. Je ne l'entends plus. » Avant, chaque vers avait la couleur de la voix un peu rauque et encore timide de Luc qui chuchotait son amour comme on chuchote un secret à l'oreille. Il lui suffisait de lire le poème pour que la présence de son amoureux s'impose à tous ses sens.

Maintenant, elle ne ressentait plus le moindre frisson. La voix de Luc s'était tue. Seule, sa propre voix résonnait dans sa tête, et ressemblait à celle d'une écolière qui récite le texte d'un inconnu. Les mots rimaient toujours et parlaient d'amour, mais ils n'avaient plus le pouvoir de la faire chavirer.

À la recherche d'un peu de solitude, elle s'était réfugiée dans le jardin de son grand-père. Elle se rappelait avec nostalgie que ce lieu était autrefois interdit aux enfants ; ils ne pouvaient y pénétrer qu'en présence de grand-papa Léon. Celui-ci n'avait plus la force d'empêcher qui que ce soit de fouler le sol de son bien le plus précieux. Aurait-il vu sa petite-fille y entrer qu'il n'aurait pas protesté. Elle était grande maintenant et il savait bien que ses fragiles carottes et ses pieds de tomates maigrelets n'avaient rien à craindre.

Lulu, assise par terre près des framboisiers, constata avec tristesse que le pauvre potager de son grand-père avait l'air d'une terre à l'abandon. Les mauvaises herbes y poussaient plus vite que les légumes, et les rangées, jadis si bien formées, disparaissaient sous le chiendent et autres indésirables dont elle ignorait le nom.

Good Night se leva en grognant et alla flairer la porte des bécosses.

— Arrête, Good Night ! Qu'est-ce que tu as à toujours aller là ? Couche-toi à mes pieds.

Le petit terrier obéit.

— Bon chien !

« Lulu n'est pas en forme, pensa-t-il, elle n'arrête pas de me chicaner. Si seulement elle pouvait m'écouter ! »

*Je serai toujours près de toi.*

Elle n'avait jamais osé montrer ce poème à qui que ce soit, pas même à sa cousine qui pourtant partageait tout avec elle. Quand Estelle insistait, Lulu lui répondait toujours que c'était son secret et que son ami ne lui pardonnerait jamais de l'avoir révélé.

Et maintenant, ce n'était plus qu'un bout de papier à mettre dans la boîte aux souvenirs ? Pourquoi ? Lulu ne se posa pas la question. La magie n'opérait plus, c'est tout.

Une faute d'orthographe, à l'avant-dernière ligne, lui sauta aux yeux pour la première fois : *ne m'oublis pas…* Oublier ! Est-ce que ce n'était pas justement ce qu'elle était en train de faire ? L'oublier ? Une petite flèche de culpabilité la piqua au cœur ; elle fit semblant de l'ignorer. Elle replia le papier et ouvrit sur ses genoux une nouvelle page de son journal intime pour se préparer à y écrire.

— Qu'est-ce que tu fais là ?

L'arrivée inattendue d'Estelle fit sursauter Lulu et Good Night, qui recommença à s'agiter.

— J'essaie d'avoir la paix, pis c'est pas facile !

Estelle ne s'offusqua pas de cette remarque ironique, et sans façon s'assit par terre aux côtés de sa cousine. Elle s'ennuyait de Lulu et avait besoin de lui parler. Leurs tête-à-tête, leurs confidences et leurs fous rires lui manquaient. Qu'importe que Lulu se montre pleine de rancune, elle trouverait bien un moyen de se rapprocher d'elle et de renouer les liens d'amitié qui les avaient toujours unies.

— Viens ici, Good Night ! dit Estelle qui essayait de l'attirer à elle. Qu'est-ce qu'il a à tourner autour des chiottes, lui ? Tu veux faire tes petits besoins comme nous autres, dans une petite maison qui pue, c'est ça ?

Lulu, la tête plongée dans son journal, paraissait réfléchir ; les idées ne venaient pas. Une grosse mouche à chevreuil se mit à bourdonner autour d'elle. Elle se posa sur son bras et Estelle la chassa d'une claque bien placée. Lulu sursauta. Si elle cherchait la tranquillité, il lui faudrait songer à aller s'installer ailleurs.

— T'es pas partie à la pêche avec Gary, toi ? Ça m'étonne ! fit Lulu d'un ton provocateur.

— Comment ? Tu sais pas la dernière nouvelle ? Gary est allergique aux poissons, alors il peut plus venir à la pêche, tu comprends ?

Estelle se contentait de répéter à sa cousine ce qu'il lui avait dit. Elle avait accepté cette explication sans se poser de questions. Lulu ne perdit pas une seconde pour réagir.

— Estelle ! Il faut le manger, le poisson, pour être allergique. Une allergie, ça saute pas comme ça sur le dos du monde.

— Je le sais pas, moi ! Il m'a expliqué ça moitié français, moitié anglais, j'ai pas compris grand-chose.

Estelle prit son air boudeur et rentra dans sa coquille. Pourquoi fallait-il toujours que sa cousine ait le dernier mot ! Celle-ci avait d'ailleurs un petit sourire aux lèvres qui ne lui disait rien de bon.

Lulu cherchait à s'expliquer la véritable raison qui avait poussé Gary à mentir à Estelle d'une façon si évidente. Qu'est-ce que tout ça pouvait bien cacher ? Et s'il avait renoncé à aller à la pêche avec Estelle pour lui faire plaisir à elle ? Cette pensée l'effleura et elle se sentit flattée. Cherchait-il vraiment à lui plaire ? Elle essaya de faire taire le doute, mais la voix de la raison se fit plus pressante.

Peut-être après tout préférait-il la compagnie de Michel pour aller taquiner la perchaude ? Aller à la pêche avec une fille ! Tous les garçons de l'île auraient considéré ça comme une corvée… « À part peut-être Alain Tourville », pensa-t-elle. Il paraissait prêt à tout pour lui plaire, celui-là ! Malgré tous ces raisonnements, elle avait un penchant pour la réponse qui flattait sa vanité : oui ! Gary avait voulu lui faire plaisir !

Good Night se mit à gratter la porte des bécosses.

— Arrête ! lui ordonna Lulu. Tu me tombes sur les nerfs, Good Night !

— C'est quoi, ça ? demanda Estelle qui venait de ramasser le papier que Lulu avait laissé tomber par terre.

— Ah ça… Tu peux le lire si ça te tente, répondit-elle avec un certain détachement.

Bien qu'Estelle ignorât ce qu'elle tenait entre les mains, sa curiosité naturelle lui fit aussitôt déplier la feuille. Elle se mit à lire sans comprendre tout de suite de quoi il s'agissait. Lulu revint à son journal intime, feignant le désintéressement le plus total. Ce qui ne l'empêchait pas de guetter la réaction de sa cousine. Estelle avait si longtemps désiré lire ce poème que Lulu s'attendait à ce qu'elle réagisse d'une seconde à l'autre. Elle ne fut pas déçue !

— Quoi ! (Estelle la regardait avec de grands yeux incrédules.) Non, c'est pas vrai ! Non ! C'est un poème de Luc ? s'écria-t-elle, hystérique. Un poème de Luc ! WOW !... Un vrai poème !

— Calme-toi ! C'est pas si extraordinaire... (Lulu leva les yeux au ciel comme quelqu'un qui en a vu d'autres et qui ne perd pas la tête pour quelques rimettes même bien tournées !) Regarde comme il faut : il y a une faute d'orthographe à la dernière ligne.

— Où ça ? J'ai rien vu, moi !

Ce n'était pas une misérable petite faute qui allait atténuer l'enthousiasme d'Estelle. Elle se replongea dans le poème, puis, au comble de l'excitation, laissa échapper un cri du cœur :

— Ah ! si Gary pouvait m'en écrire un ! Aaaah !

— En anglais ? lui rétorqua Lulu qui ne perdait jamais son sens de la répartie. Tu comprendrais rien !

Good Night, excité par les cris d'Estelle, se mit à japper, la tête toujours pointée en direction des bécosses.

— Il y a peut-être quelqu'un qui est tombé dans le trou, déclara Estelle, et Good Night veut aller lui porter secours, on devrait aller voir.

— Si quelqu'un était tombé là... il serait mort de suffocation depuis longtemps, c'est sûr ! Couche-toi, Good Night ! Est-ce que c'est clair ?

Le chien obéit encore une fois, et rejoignit sa maîtresse, non sans lui jeter un regard lourd de sens. « Pauvre Lulu ! » pensa-t-il.

Estelle, qui tenait toujours à la main le poème de Luc, se leva, très solennelle tout à coup, fit quelques pas et, mettant un genou à terre entre deux plants de tomates, se mit à réciter à voix haute les premiers vers :

— *Je n'osais pas te le dire. Alors laisse-moi te l'écrire…*

Elle n'était jamais aussi drôle que quand elle s'efforçait d'être sérieuse et sa cousine ne put s'empêcher d'éclater de rire.

— *Surtout ne ris pas !* la menaça Estelle qui faisait déjà sienne la poésie de Luc.

— *C'est la première fois !* lui répondit Lulu, la voix étouffée par un fou rire qui l'amena au bord des larmes.

Imitant la voix d'un garçon qui mue, elle passait du grave à l'aigu et se donnait des airs de Roméo sous le balcon de Juliette.

— *Je t'aimerai toujours…*

Estelle se traîna à genoux et embrassa les pieds de sa cousine ! Celle-ci lui arracha le papier des mains, mais elle le tenait si serré qu'il se déchira en deux. Lulu essaya de nouveau de le lui enlever en tirant de toutes ses forces, et la joyeuse bataille se poursuivit jusqu'à ce que la feuille ne fût plus que bouts de papier déchiquetés qui tombèrent en une neige précoce sur les mauvaises herbes.

Emportée par son élan poétique, Estelle improvisa quelques vers qui épatèrent sa cousine.

— Jamais je n'aurais cru... T'aimer autant, ma belle Lulu ! déclama-t-elle en faisant sonner la rime avec ardeur.

Lulu, qui n'en pouvait plus de rire, était maintenant couchée par terre et se tortillait parmi les laitues et les radis qu'elle écrasait de coups de pied.

— Je vais faire pipi dans ma culotte ! Arrête ! la supplia-t-elle. Arrête !

Estelle, plus cabotine que jamais, scrutait l'horizon, la main posée en visière au-dessus des yeux.

— Pourquoi es-tu si loin ? Il n'y a même pas de train ! dit-elle d'un ton mélodramatique.

Puis, en proie à une inspiration soudaine, elle trouva une finale à son poème :

— Tant pis ! Pour te voir, oh ! ma Lucie... Je prendrai... un taxi !

Les deux cousines roulèrent par terre l'une sur l'autre, en répétant d'une voix étranglée : « Oh ! ma Lucie... je prendrai... un taxi ! » Et sous la secousse, quelques frêles tomates encore vertes quittèrent leur tige mère pour rouler jusqu'à terre.

— Un taxiiiii ! s'esclaffa Lulu. Et moi je vais faire pipiiii ! dit-elle en se précipitant, pliée en deux, vers les bécosses.

Good Night, plus rapide qu'elle, passa entre ses jambes et lui bloqua le passage.

— Ôte-toi de là, Good Night ! Ôte-toi ! lui ordonna-t-elle, exaspérée.

Le chien s'obstinait à l'empêcher de passer et Lulu, en colère, sautillait sur place, en criant : « Ôte-toi, Good Night ! » Elle finit par réussir à ouvrir la porte et… resta complètement éberluée. Le diable en personne ne lui aurait pas fait plus peur ! Debout devant elle, plus pâle qu'un fantôme et couvert de sueur, se tenait… Gary !

— Qu'est-ce que tu fais là ? lui demanda Lulu qui croyait voir une apparition.

— Oui ! Qu'est-ce que tu fais là ? ajouta Estelle, encore plus secouée que sa cousine.

Good Night, enfin calmé, les regardait à tour de rôle avec un petit air coquin. « Ça vous apprendra à ne pas m'écouter ! »

— *Well…* Qu'est-ce qu'on fait d'habitude ici ? répondit Gary qui malgré sa taille n'en menait pas large.

Il n'arrêtait pas de se passer la main dans les cheveux comme pour chasser les mauvais esprits.

Les deux cousines étaient à ce point renversées qu'elles ne trouvèrent rien à répondre. Il avait été là pendant tout ce temps ! Oh, mon Dieu !

Estelle fit marche arrière dans sa tête et repassa à toute vitesse tout ce qu'elle avait pu dire comme niaiseries depuis son arrivée dans le jardin. Chaque phrase l'amenait un peu plus près du désespoir.

Lulu était pleine de remords d'avoir ri de Luc et de

son poème ! Qu'est-ce que Gary allait penser d'elle ? Qu'elle était une fille en qui on ne pouvait pas avoir confiance ? « Ah, mon Dieu ! heureusement que je n'ai pas parlé de ses boutons ! pensa-t-elle avec un petit battement de cœur supplémentaire. Ouf ! »

Estelle avait davantage de raisons de s'inquiéter. Il ne pouvait pas ne pas l'avoir entendue quand elle s'était écriée au sujet du poème : « Ah ! si seulement Gary pouvait m'en écrire un ! » Elle se revoyait à genoux dans les plants de tomates, s'entendait rimailler et se trouvait… ridicule ! La bouche ouverte et les bras ballants, elle fixait Gary qui s'essuyait le front avec son mouchoir à carreaux.

Pauvre de lui ! Il se retrouvait encore une fois dans une situation qu'il n'avait pas choisie.

Ce matin-là, il s'était tout simplement attardé dans les bécosses à lire des bandes dessinées découpées dans des journaux. L'odeur y était désagréable, c'est vrai, mais on finissait par s'y habituer. Et un petit moment de tranquillité n'était pas pour lui déplaire, au contraire !

Juste comme il allait en sortir, il avait aperçu Lulu à travers le petit carreau en haut de la porte. Son premier réflexe avait été de se rasseoir bien vite, sans faire de bruit, et d'attendre qu'elle s'en aille. Il avait découvert, sur le côté de la cabane, un espace entre les planches qui lui permettait de l'espionner sans être vu. Le front collé à la vieille peinture écaillée, Gary en avait profité pour la regarder comme il n'avait jamais osé le faire jusqu'à aujourd'hui. Elle était assise par terre et paraissait songeuse. « *A penny for your thoughts !* » avait-il pensé. Il n'aurait pas détesté être celui qui la rendait si rêveuse.

Gary n'avait pas remarqué la présence de Good Night qui n'avait pas tardé à se manifester avec un entêtement acharné ; ses jappements répétés et ses grattements sur la porte lui avaient donné des sueurs froides. Il avait regretté de n'être pas sorti plus tôt ; c'était trop tard maintenant. De quoi aurait-il eu l'air ? Plus le temps passait et plus sa situation devenait ridicule. Il avait chaud et, malgré tous les trous dans les vieux murs, l'air frais commençait à lui manquer.

L'arrivée d'Estelle l'avait rendu encore plus inquiet. Combien de temps allait-il être obligé de rester caché dans cette affreuse cabane ? Et voilà qu'elle parlait de lui maintenant ! « Qu'est-ce qu'elle raconte ?! Elles sont complètement folles, ces filles ! s'était-il dit en riant. Oh non ! Pas encore le chien ! *Oh, my God !* Oh non ! Lulu s'en vient par ici ! » Il s'était levé brusquement et s'était pris les cheveux dans le papier enduit de colle qui servait à attraper les mouches au plafond.

Et voilà ! Lulu avait ouvert la porte et ils étaient tous les trois aussi surpris que l'on peut l'être en pareille circonstance. Good Night les observait et s'interrogeait sur leur silence. « Ils ont vendu leur langue au chat ou quoi ? »

Gary fut le premier à casser la glace. Puisque le mal était fait, il valait mieux en rire.

— Je ne savais pas que tu pouvais si bien jouer la comédie, Estelle, dit-il en souriant.

Celle-ci, plus rouge que les pauvres tomates du jardin, trouva la force de se moquer d'elle-même avec beaucoup de conviction. Elle était convaincue que le ton moqueur de Gary cachait une secrète admiration pour ses talents de comédienne, ce qui lui permit de rire avec lui sans pour autant se sentir ridicule.

Le grand Américain, trop content de quitter enfin son infect repaire, céda la place à Lulu qui s'y précipita. Il resta seul avec Estelle.

Il s'assit sur une vieille souche et regarda autour de lui, trop content de changer d'air ! Il ne disait rien. Estelle, qui ne voulait pas perdre une seconde de ce tête-à-tête qui ne pouvait être que très bref, prit sur elle d'engager la conversation. Elle se lança sur le premier sujet qui lui vint à l'esprit, sans penser qu'elle risquait fort de s'y embourber : la culture des fruits et des légumes.

En plus, pour épater la galerie, elle choisit de s'exprimer en anglais ; ce qui l'amena à se heurter bientôt à de petits problèmes de vocabulaire qu'elle surmonta avec sa bonhomie habituelle. Puisque les mots « carotte », « céleri » et « patate » se ressemblaient dans les deux langues, elle présuma qu'il en était de même pour tous les autres. Ce qui donna comme résultat à peu près ceci : « *You know, Gary, haricuts and tchou-fleur is my favorite !* »

Elle remarqua que Gary avait l'air distrait et de plus en plus rêveur. « Maintenant qu'il sait que je m'intéresse à lui, c'est normal qu'il joue l'indifférent, pensa-t-elle. Tous les garçons sont comme ça ! » Et comme elle ne pouvait supporter une seconde de silence, elle ajouta :

— *Oh ! and étchalots, I love them too ! But you know…*, ajouta-t-elle en faisant un petit geste pour indiquer qu'elles pouvaient donner mauvaise haleine. (« Et ce n'est vraiment pas une chose à manger quand on espère se faire embrasser », pensa-t-elle sans oser le dire !)

Gary, assis dans son coin, contemplait les dégâts que les ébats des deux cousines avaient causé au jardin déjà fort mal en point de grand-papa Léon. Il n'écoutait pas vraiment Estelle qui babillait dans une langue impossible à comprendre. Il était songeur. Il pensait à Lulu. Elle était bien jolie tout à l'heure quand elle riait aux éclats et que sa bouche en cœur s'ouvrait pour découvrir des canines pointues comme celles d'un petit chat. Elle était belle aussi quand elle regardait au loin, plongée dans ses pensées, si sérieuse. Gary ne put s'empêcher de sourire à cette image. « Il a l'air content d'être seul avec moi », remarqua Estelle qui n'avait d'yeux que pour lui.

Entre les planches du mur des bécosses, Lulu observait Gary du même endroit où il l'avait épiée quelques instants plus tôt. Elle ne voyait pas Estelle mais elle entendait sa voix qui se voulait charmeuse malgré tout. « Elle ferait mieux de se taire », pensa-t-elle. Un petit frisson de plaisir la parcourut quand elle constata que Gary n'était pas du tout attentif au manège de sa cousine. Il semblait si rêveur.

Le front appuyé sur le bois de la vieille planche, Lulu regardait Gary comme elle n'aurait jamais osé le faire devant lui. Elle ne cherchait pas les mots pour nommer ce qu'elle aimait en lui, ni pour se dire ce qui pouvait l'attirer dans ce grand garçon au regard embrumé, non, elle se contentait de rêver à ce qui pourrait arriver un jour si leurs yeux osaient se parler. Good Night se mit à gratter la porte en pleurant et elle se hâta d'aller rejoindre Gary et Estelle.

— On a fait beaucoup de grabuge dans le jardin, constata-t-elle.

Lulu se sentit triste tout à coup. Ce jardin avait toujours été la fierté de son grand-père. Cette année, il n'avait pas pu y consacrer autant de temps que d'habitude ; le potager avait triste mine. Lulu se reprocha d'avoir enfreint les lois qu'elle respectait depuis qu'elle était toute petite. Gary, plein de gentillesse, la rassura : les dégâts n'étaient pas aussi graves qu'ils paraissaient.

Et il savait de quoi il parlait ! Pendant des années, il avait eu la responsabilité, à la maison, d'aider sa mère dans ses travaux de jardinage. Si cela l'avait amusé, enfant, l'adolescence avait bien changé sa vision des choses, et il en était venu à considérer ça comme une véritable punition. Surtout que Rachel, sa mère, n'en finissait plus de créer de nouvelles plates-bandes ; chaque printemps, la pelouse diminuait pour faire place à une autre variété de fleurs et il lui fallait transporter de gros sacs de terre noire et d'engrais, bêcher, sarcler et par la suite passer l'été à s'extasier sur la moindre petite fleur à peine éclose ! « Regarde, Gary, lui disait sa mère, les petites cloches du muguet sont sur le point de s'ouvrir. » Il haussait les épaules et, quelques jours plus tard, sur sa commode, dans sa chambre, sa mère déposait un petit bouquet qui était signe que le printemps était bel et bien arrivé. Son parfum lui chatouilla les narines… Encore une fois, les odeurs de sa vie passée se présentaient à lui avec une telle intensité que, l'espace d'un instant, il revit sa mère avec un bouquet de muguet entre les doigts.

Ainsi, bien malgré lui, Gary avait acquis au cours des années beaucoup de connaissances qui faisaient rire ses amis. Ceux-ci ne manquaient pas de lui rappeler que « jardiner, c'est bon pour les filles ! ».

— Je peux vous aider, si vous voulez, dit-il, poussé par le désir de faire plaisir à Lulu. On va commencer par réparer les petits dégâts, puis ensuite on va enlever toutes les mauvaises herbes. Il y a la clôture aussi qui aurait besoin d'être réparée.

Les deux cousines, un peu surprises, accueillirent cette proposition avec enthousiasme. Estelle, qui avait toujours détesté se mettre les mains dans la terre, s'exclama : « Oh ! enlever les mauvaises herbes, moi, j'adore ça, Gary ! Je vais t'aider. » Lulu préféra se taire. Elle ne leva même pas les yeux au ciel et pourtant elle en mourait d'envie.

Il fut donc convenu sur-le-champ que, puisqu'il avait de l'expérience, Gary serait le grand responsable des travaux. Tous les trois mettraient ainsi leur énergie en commun pour redonner vie au jardin et faire une belle surprise à grand-papa Léon et à toute la famille.

Estelle était ravie : grâce à tous ses travaux, qui prendraient sûrement des heures et des heures, elle passerait beaucoup de temps en compagnie de Gary. Celui-ci se réjouissait d'avoir trouvé cette idée pour être plus près de Lulu, qui, elle, souriait d'aise… Allez donc savoir pourquoi !

Gary, qui prenait son nouveau rôle très au sérieux, proposa de faire les choses avec méthode.

— On devrait se faire un… comment on dit ?… un *meeting* ?… avant de commencer ?

— Une réunion, répondit aussitôt Lulu. C'est une bonne idée.

Estelle la soupçonna tout de suite de passer des heures en cachette à apprendre par cœur le dictionnaire anglais. Comment expliquer autrement qu'elle puisse traduire un mot qu'Estelle n'avait jamais entendu de sa vie ? Le regard noir qu'elle lança à sa cousine força celle-ci à donner une explication.

— À mes cours de natation, le professeur dit souvent ça : « On en a parlé au meeting. »

— Ah oui ! à l'aréna, ajouta Estelle, là où travaille monsieur Lachapelle… le père de Luc.

Elle avait mordu dans le nom de Luc pour qu'il résonne aussi fort que ses trois lettres brèves le permettaient.

— Luc ? Le poète ? demanda Gary avec une lueur de taquinerie dans les yeux. Justement, dit-il en approchant sa main des cheveux de Lulu, il en reste un petit peu là…

Gênée et confuse, Lulu fouilla son épaisse chevelure et finit par attraper un morceau de papier minuscule qu'elle voulut jeter par terre parmi les autres pour s'en débarrasser, mais il resta accroché à la manche de son chandail. On pouvait encore y déchiffrer quelques lettres.

— On dirait que c'est la fin du mot « toujours », dit Estelle qui avait le don de se mettre les pieds dans les plats.

Lulu resta figée ; elle ne savait plus comment se sortir de ce mauvais pas. Ce fut Gary qui vint à son secours. D'un geste délicat, il saisit le bout de papier entre ses doigts et le déposa gentiment par terre avec les autres.

— On se rejoint ici pour le meeting… disons dans une heure. Ça vous va, les filles ?

Et il s'en alla, un grand sourire aux lèvres.

## 9

# Les grands travaux

La réunion commença à l'heure prévue. Gary apporta du papier, une règle, des crayons et un gros pot de limonade. Lulu avait préparé des sandwiches au beurre d'arachide sans croûte et Estelle ajouta le fond d'un sac de bonbons qui venait de sa réserve secrète. Même s'il avait séjourné un peu trop longtemps dans ses poches et que les bonbons étaient plus ou moins collés ensemble, elle était sûre que Gary ne pourrait y résister. « Il a un faible pour les sucreries. Comme moi ! » pensa Estelle qui cherchait par tous les moyens à devenir son amie.

Depuis son arrivée, Gary s'était montré timide et renfermé ; il se révéla tout autre quand il fut question d'établir un plan de travail et de décider du partage des tâches. Les deux filles n'en revenaient pas de voir à quel point il avait le sens de l'organisation ! On aurait dit un vrai chef !

Assis au bout de la table à pique-nique, le grand Américain traça d'abord le plan du potager sur une grande feuille et dressa la liste des choses à faire. Il se sentait enfin utile à quelque chose. Rendre service aux gens avait toujours été pour lui une source de bonheur et le décès subit de sa mère lui avait appris qu'il faut prendre bien soin de ceux qu'on aime avant qu'il ne soit trop tard.

L'image de grand-papa Léon, allongé sur sa chaise longue, lui brisait le cœur. Il sentait bien que toute la famille luttait bravement pour ne pas se laisser aller à la tristesse et au découragement. Il était heureux de pouvoir faire sa part pour adoucir les derniers jours du vieux Léon… et en même temps aider Lulu à parcourir ce chemin difficile, la tenir par la main… Oh oui ! la tenir par la main ! Voilà ce dont il rêvait quand il avait pris l'initiative des travaux.

Estelle avait déjà englouti sa part de sandwiches et lorgnait l'assiette de Lulu.

— Tu peux le prendre, lui dit celle-ci. J'ai pas faim.

« Ça se peut pas ! pensa Estelle, incrédule. Comment est-il possible de ne pas avoir faim ?… »

Non ! Lulu n'avait ni faim ni soif ! Son cœur battait un peu plus vite que d'habitude. Elle avait les mains moites et faisait de gros efforts pour ne pas croiser le regard de Gary qui semblait lui aussi l'éviter. Si elle levait les yeux vers lui, il les abaissait vers la table. Regardait-il dans la direction de Lulu qu'elle s'empressait de contempler le ciel, d'un air innocent. Ce petit jeu, né d'une connivence secrète entre les deux adolescents, durerait aussi longtemps que le plus hardi des deux choisirait d'y mettre fin.

Chaque fois qu'il prenait la parole, Gary s'adressait à Estelle pour éviter de se mettre à rougir ou à bégayer. Estelle, plus que jamais persuadée de son charme, ronronnait comme un chat qui vient de découvrir un gros bol de lait, tandis que Lulu, discrète, dessinait avec application des fleurs sur le plan de Gary qui s'ébahissait devant ses talents artistiques.

— Moi, dit Lulu en faisant aller son crayon dans les airs comme elle l'avait vu faire dans un film à la télévision, je trouve qu'on devrait d'abord en parler à grand-papa Léon. C'est vrai qu'on veut lui faire une surprise, mais on devrait lui demander la permission avant d'aller travailler dans son jardin. Ce serait plus gentil, il me semble.

— Tu parles d'une surprise ! protesta Estelle qui ne comprenait pas pourquoi Lulu s'exprimait tout à coup comme une adulte.

— Moi, je trouve que Loucie a raison. Tu devrais lui en parler toi-même. Ton grand-père t'aime beaucoup.

Puisque le chef des travaux était d'accord, Estelle

changea d'opinion et il fut convenu que Lulu irait l'après-midi même demander l'accord de son grand-père.

Parmi les tâches à accomplir, débarrasser le jardin de ses mauvaises herbes venait en tête de liste. Gary suggéra qu'on mette à contribution le grand Tourville qui pourrait donner un solide coup de main. Lulu en resta muette de surprise. « Quelle drôle d'idée ! » pensa-t-elle.

— Et Michel aussi pourrait venir nous aider, poursuivit Gary, puisque, de toute façon, ils sont de corvée tous les deux.

Les filles le regardaient sans comprendre. Quelque chose avait dû leur échapper…

— Mais quelle corvée ? demandèrent-elles, tout étonnées.

Estelle, qui se vantait de savoir tout ce qui se passait dans l'île, fut très surprise d'apprendre que son frère, son propre frère, était mêlé à un conflit qui opposait le grand Tourville à sa grand-mère, Mimi.

Mémère Tourville, qui gérait les finances d'un œil averti, s'était bien vite aperçue, au lendemain de la fête en l'honneur de Gary, que l'argent de la petite caisse ne correspondait pas au nombre de bouteilles de bière vendues ! Ses soupçons s'étaient tout de suite portés vers son petit-fils qui était chargé de la vente des boissons et qui, en compagnie de son compère Michel, avait été vu plus souvent qu'à son tour une bouteille à la main. Les deux garçons avaient fini la soirée dans un triste état, et Marie-Claire, la blonde de Michel, l'avait menacé de rompre si jamais il se soûlait encore d'une façon aussi stupide.

Non seulement Denis et Michel devaient rembourser l'argent à la petite caisse, mais mémère Tourville, pour les punir, avait décidé qu'ils seraient de corvée au potager pendant deux jours... sans être payés ! Michel n'avait osé en parler à personne, sauf à Gary. L'heure n'était pas à la vantardise !

« Ça va vous remettre la tête sur les épaules ! » leur avait dit mémère qui avait déjà réglé dans le passé des crises beaucoup plus graves. Son petit-fils n'était pas le premier à perdre le nord pour une bouteille ! Denis et Michel, qui avaient souffert pendant deux jours d'un terrible mal de tête, n'avaient aucun doute là-dessus : elle était bien revenue sur leurs épaules.

— Je suis sûr, ajouta Gary, que mémère Tourville accepterait de nous donner quelques plants de tomates... *vigourous*... comment on dit ?

— Vigoureux, enchaîna Estelle. C'est drôle, hein ? Vigoureux et *vigourous*, c'est presque pareil ! C'est vraiment facile, l'anglais, hein, Gary ?

Il fit mine de n'avoir rien entendu et continua à exposer son plan.

— Denis et Michel transporteraient les plants jusqu'ici et, dans quelques jours, le jardin serait vraiment beau, conclut-il.

Il se tourna vers Lulu pour solliciter son approbation. Celle-ci leva la tête et ne put empêcher ses yeux de croiser ceux du grand Américain, l'espace d'une seconde. Le rouge lui monta aux joues. Pour cacher son malaise, elle vida son verre de limonade si vite qu'elle passa à deux doigts de s'étouffer.

— Ça va, Loucie ?

Lulu éclata de rire. Gary aussi.

— Qu'est-ce qu'il y a de si drôle ? demanda Estelle.

— Mais rien !… Rien ! répondit Lulu, un peu agacée.

Gary proposa, si grand-maman Alice était d'accord, de repeindre la clôture du jardin, ainsi que les chaises qui en avaient bien besoin. « Wow ! Quelle bonne idée, Gary ! » Estelle avait vraiment l'air ravie. « Quelle actrice quand même ! » pensa Lulu.

La liste terminée, chacun savait maintenant ce qu'il avait à faire. Il ne restait plus qu'à obtenir la permission de Léon. L'idée d'accomplir quelque chose qui ferait plaisir à ses grands-parents rendait son cœur plus léger. « Gary est vraiment gentil », se dit-elle.

— La séance est levée ! Prochaine réunion, après souper, O.K. ?

Les deux cousines acquiescèrent et on ramassa la table. Gary, voulant se rendre utile, attrapa le pot de limonade… en même temps que Lulu. Leurs mains se frôlèrent. Il lâcha prise comme s'il avait subi un choc électrique tandis qu'elle, gênée, se précipitait vers l'assiette de sandwiches pour faire autre chose. Le pot en déséquilibre tourna sur lui-même et son contenu se répandit dans l'herbe.

— Heureusement, le dernier sandwich est sauvé, dit Estelle qui mordit dedans sans plus attendre.

Les deux complices avaient le fou rire.

— Mais qu'est-ce que vous avez à rire comme ça ? leur demanda Estelle, la bouche pleine.

— Rien ! répondit Lulu. Rien ! Viens, Good Night, on va aller voir grand-papa.

Léon dormait dans sa chaise longue, ou plutôt faisait semblant de dormir. C'était si simple. Il suffisait de fermer les yeux et de croire que le sommeil allait arriver d'une seconde à l'autre. Quelque chose arrivait qui ressemblait au sommeil, quelque chose qui engourdissait tout le corps et l'esprit et apportait un semblant de repos. Grand-papa Léon avait l'apparence de quelqu'un qui dormait, qui se reposait paisiblement après une longue vie bien remplie.

Le vieillard n'était pas dupe : il savait bien qu'il allait mourir. Mais il prenait son temps. À quoi bon se précipiter vers l'inconnu ? Il avait traversé sa vie à tout petits pas, c'est ainsi qu'il quitterait la terre.

Un instant plus tôt, le rire si gai de sa petite Lulu était parvenu jusqu'à ses oreilles. « Quelle enfant adorable ! »

Elle était devenue grande, mais pour lui elle était encore une enfant. Sa petite-fille adorée…

« Elle est dans le jardin… avec Estelle », s'était-il dit. Le visage du vieil homme s'était assombri. Les deux cousines avaient transgressé l'ordre de ne pas franchir les limites du potager. Elles lui avaient désobéi, à lui, qui avait toujours été le maître des lieux. Elles avaient franchi la limite permise et s'étaient introduites dans son domaine !

Elles riaient si fort. Leurs cris l'avaient amené à penser que les deux cousines se bousculaient et foulaient sans pitié ce qui avait toujours été son trésor, son fief jalousement gardé.

« Je ne suis plus rien, avait pensé Léon. Je ne suis qu'un pauvre homme allongé dans une chaise longue à deux pas d'un jardin qui ne m'appartient plus… et je ne dis rien. Je n'ai plus rien à dire. Je ferais mieux de me rendormir. »

Un souffle délicat venu du fleuve l'avait fait frissonner. Il avait ramené sa couverture sur sa poitrine et une torpeur légère était venue apaiser son esprit.

— Grand-papa !

Lulu s'était approchée en silence de la chaise longue de son grand-père et essayait de le réveiller sans trop le brusquer.

— Grand-papa !

Good Night se mit à lécher la main du vieux Léon qui sembla émerger de son sommeil. Il ouvrit les yeux et regarda sa petite-fille. « Lulu ? C'est toi ? » dit-il d'une voix aussi fragile que le souffle du vent. Il plongea dans son regard et se grisa de toute la douceur qu'il y trouva. « Qu'elle est sensible et intelligente, ma petite-fille ! pensa-t-il. Et comme elle ressemble à son père ! Mon cher Lucien ! »

La marée des souvenirs fit remonter pêle-mêle les images de son passé : Lulu qui vient à peine de naître — « Mon Dieu ! c'est le vrai portrait de son père ! » —, son petit visage fripé qui sourit déjà, Lulu qui fait ses premiers pas sur la grève du grand fleuve et qui rit quand les vagues lui chatouillent les orteils ! Lulu qui l'éclabousse de crème à raser ! Lulu qui plonge du bout du quai ! Lulu qui veut tout connaître et tout savoir !

— Grand-papa...

— Oui, ma petite. Qu'est-ce qu'il y a ?

— Eh bien ! grand-papa... on a pensé... Gary, Estelle et moi, qu'on pourrait s'occuper de ton jardin... On en prendrait soin à ta place... si tu nous donnes la permission, évidemment !

Le vieillard ne put que sourire. Qu'elle était finaude, cette enfant !

— Est-ce qu'il y a... des petits lièvres... qui ont fait du grabuge ? demanda-t-il, l'œil taquin.

— Oui ! c'est ça, grand-papa ! Bien, disons... des gros lièvres... Mais on va tout arranger. On va te faire une belle surprise.

— C'est bien… c'est bien, répondit Léon.

Il referma les yeux. Lulu crut qu'il allait se rendormir. Elle n'osa pas bouger de peur de le réveiller. Elle demeura assise tout contre lui, sa main glissée sous celle de son grand-père. Les doigts de Léon semblaient battre la mesure d'une musique qu'il était seul à entendre. Ses veines gonflées dessinaient sur le dos de sa main des petits ruisseaux bleus qui couraient se cacher sous la manche de sa robe de chambre devenue trop grande.

C'était grand-papa Léon et ce n'était plus tout à fait lui. Il était là, immobile, prisonnier de son pauvre corps si fragile, mais, dans la tête de sa petite-fille, il était bien vivant. Elle le revoyait siffloter, maugréer, bêcher la terre, se raser, s'allumer une cigarette, manger une tarte aux framboises avec de la crème fraîche, son dessert préféré, panser les blessures de Good Night, tirer la corde de son petit moteur et aller faire un tour de bateau sur le fleuve. Léon avec son éternel chapeau colonial sur la tête ! Léon et ses *moi là* qui faisaient rire les enfants ! Dans la tête de Lulu, il faisait des milliers de choses. Dans la tête de Lulu, il était un vrai grand-père pour toujours.

Dans les jours qui suivirent, le terrain des grands-parents Côté prit des allures de chantier. Grand-maman Alice s'était montrée très ferme sur un point : tout ce va-et-vient ne devait en aucun cas perturber le repos de son cher mari. « Pas de cris inutiles, pas de bousculades », avait-elle répété en jetant un regard sévère aux trois adolescents. Lulu s'était portée garante des deux autres : elle avait promis que tout se passerait dans le plus grand calme.

Le grand Américain avait souvent accompagné son père sur des chantiers de construction ; il fit donc profiter tout le monde de ses connaissances en organisation. Il suggéra d'abord que l'on établisse un quartier général pour assurer la coordination de tous les travaux.

— Je pensais qu'il s'agissait juste d'enlever deux ou trois pissenlits, fit Arthur en ricanant.

— Voyons, papa, c'est sérieux, protesta Estelle. Et puis, Gary connaît ça ! ajouta-t-elle en levant vers lui des yeux pleins d'admiration.

Fleurette leur offrit son vieux cabanon qui ne servait plus à rien. Arthur protesta juste pour la forme, et la proposition fut votée à l'unanimité.

Le quartier général fut baptisé « Le clou » étant donné le nombre incalculable de vieux clous que l'on y trouva, de toutes les grandeurs et de toutes les grosseurs ! Gary, qui était un infatigable travailleur et un perfectionniste, alla même jusqu'à les ranger selon leur taille, dans de vieux pots de confiture que mémère Tourville lui avait donnés. Avec l'aide de Lulu, bien entendu ! (Ces deux-là ne se quittaient plus et Estelle se demandait bien pourquoi !)

La jeune équipe, qui portait désormais le nom des « 400 Clous », décréta que la participation des adultes se limiterait à prêter ou donner des outils ou du matériel et que seuls les moins de vingt ans auraient le droit de mettre la main à la pâte.

Arthur était sceptique ; il s'attendait à être obligé de venir à leur secours d'une minute à l'autre. Sa fille, Estelle, avait toujours préféré s'écraser au soleil plutôt que de participer aux tâches domestiques et si son fils, Michel, aimait travailler, il le faisait dans l'unique but de gagner de l'argent !

Fleurette, elle, se réjouissait de voir qu'elle avait réussi à transmettre à ses enfants cette belle générosité qu'elle considérait comme la plus extraordinaire des qualités. Hélène était heureuse de voir sa Lulu reprendre goût à la vie. « Pourvu que ce ne soit pas seulement à cause de Gary ! » pensa-t-elle, un peu inquiète comme d'habitude !

Gary fit sur un grand carton un tableau avec le nom des travailleurs, les tâches à accomplir et les jours de la semaine. Si le beau temps persistait, il avait prévu que tout serait terminé dans quelques jours.

Première étape : nettoyer le quartier général. L'oncle Arthur n'allait pas regretter d'avoir prêté son cabanon : quelques coups de marteau, deux ou trois tablettes et beaucoup de ménage et de rangement donnèrent à la vieille remise un nouveau souffle. Assis sur la balançoire, et fumant son cigare, Arthur n'en revenait pas de voir tant d'action dans sa cour !

— Cous donc, Gary, y a ma galerie qui est pas mal fatiguée. Ça te tenterait pas pendant que tu y es ?...

— L'été prochain, mon oncle, si vous voulez..., répondit le jeune garçon en riant.

Lulu, qui nettoyait le plancher, lui sourit. Gary reviendrait l'an prochain ! Quelle bonne idée ! Il s'était arrêté de travailler et l'observait. À travers le nuage de poussière qu'elle soulevait avec son balai, elle lui apparut encore plus jolie. Ses cheveux rebelles s'échappaient du foulard rouge qu'elle avait enroulé autour de sa tête et lui donnaient ce petit air sauvage qui lui plaisait tant.

— Loucie ! lui dit-il en s'approchant, tu as un fil d'araignée là...

Sa main effleura le visage de la jeune fille qui ne chercha pas à s'esquiver. Il était si près d'elle qu'elle pouvait voir les menus détails de la croix en or qu'il portait au cou. Et aussi les poils frisés de sa poitrine qui frôlaient l'encolure de sa chemise.

Elle pouvait aussi sentir son odeur qui était bien différente de la sienne... mais pas tout à fait. La poussière et la chaleur n'avaient pas encore réussi à faire disparaître ce petit quelque chose qu'elle connaissait bien et qu'elle n'arrivait pas à identifier. Elle ferma les yeux et respira tout doucement comme on cherche à capter le parfum d'une fleur. Elle sourit. Elle avait trouvé. C'était l'odeur du savon pour bébés ! Son préféré !

Gary ne bougeait plus. Il hésitait. Oserait-il l'embrasser dans cette vieille cabane pleine de poussière, à deux pas de l'oncle Arthur qui fumait son cigare sur la balançoire ? Il fallait faire vite, n'importe qui pouvait arriver à l'improviste et les surprendre. Hélène, par exemple, qui n'arrêtait pas de le surveiller comme si elle lisait dans ses moindres pensées.

« J'aimerais bien qu'il m'embrasse », pensa Lulu qui leva délicatement son menton vers lui. Elle oublia toute prudence et à quel point ils étaient vulnérables au monde extérieur. Plus rien n'existait pour elle en dehors de Gary. Son univers se limitait à la carrure de ses épaules et, là-haut au-dessus de sa tête, à sa bouche qu'elle souhaitait voir se poser sur la sienne. Il se pencha vers elle pour rejoindre ses lèvres. Lulu les lui tendit et ferma les yeux.

— Tu devrais aller leur donner un coup de main, Estelle, dit l'oncle Arthur en marchant avec elle vers le cabanon. J'entends plus rien… Ils ont l'air d'avoir de la misère.

— J'peux-tu vous aider ? dit Estelle en s'arrêtant sur le pas de la porte.

— Non ! Non ! répondit Gary qui avait brusquement repoussé Lulu et s'était mis à clouer n'importe quoi avec frénésie.

— À cogner de même, c'est sûr que ça va être solide,

mon gars ! se moqua l'oncle Arthur en retournant à sa balançoire.

Avait-il compris ce qui se tramait dans son vieux cabanon ? Gary était sûr qu'il ne se doutait de rien, mais Estelle avait une curieuse façon de les regarder.

— Comment ça se fait que vous avez pas encore fini ! leur reprocha-t-elle. Ça vous prend bien du temps !

Lulu ne répondit rien. Le dos tourné, elle faisait semblant de replacer les pots de clous sur les étagères. Elle avait les joues en feu et ses doigts tremblaient sans qu'elle pût les contrôler.

— Ah ! tu tombes bien, Estelle, lui dit Gary avec son plus beau sourire. Tu pourrais finir de balayer, ça me rendrait vraiment service.

Estelle accepta avec un empressement un peu trop appuyé. Elle détestait tout ce qui de près ou de loin avait un rapport quelconque avec la poussière, et sa façon de manipuler le balai en disait long sur ses habiletés domestiques.

— Ce serait bien si tu commençais par le fond pour aller vers la porte, au lieu du contraire, suggéra Gary avec beaucoup de diplomatie.

Il remarqua un léger frémissement des épaules chez Lulu et comprit que sa remarque l'avait fait rire.

— À vos ordres, capitaine ! répondit Estelle avec bonne humeur.

Gary respirait un peu mieux. Ils avaient frôlé la catastrophe ! Il se jura que ce n'était que partie remise et qu'il trouverait bien un endroit plus discret pour pouvoir enfin embrasser Lulu !

Deuxième étape : rassembler dans le cabanon tous les outils nécessaires, pinceaux, rateaux, etc. que l'on pourrait trouver, et les identifier au nom de leur propriétaire. Solange et Maria prêtèrent leur matériel de peinture, bien rangé dans une boîte de carton. Tout était si propre qu'il était difficile d'imaginer que ces pinceaux avaient déjà été utilisés. Les deux sœurs de Léon insistèrent tant pour que tout leur soit remis dans le même état que Lulu proposa après leur départ de mettre la boîte de côté et de ne jamais y toucher ! Ce serait beaucoup plus simple et moins risqué !

Mémère Tourville avait donné la permission à Alain, à Denis et à Michel de choisir dans le potager quelques beaux plants de tomates bien solides et de les transplanter dans le jardin de Léon. Et pourquoi pas aussi de jeunes carottes et des haricots verts qui ne demandaient qu'à pousser ? L'opération était délicate mais les garçons sauraient comment faire. Ils avaient de l'expérience et, pour une fois, leur débrouillardise servirait une bonne cause, pensa Mimi. Elle ajouta des semences de radis, et des bulbes de glaïeuls pour grand-maman Alice qui aurait la surprise dans quelques semaines de voir pousser de grandes fleurs jaunes et roses.

Il ne manquait plus que la peinture. Estelle rédigea

une annonce qu'elle plaça bien en vue chez mémère Tourville : *Avons besoin de peinture d'une belle couleur. Irons la chercher chez vous. Inscrivez votre nom sur la feuille.* Et c'était signé *l'équipe des 400 Clous.*

Le bouche à oreille fit merveille et, deux jours plus tard, on avait trouvé ce qu'il fallait. Les parents de Marie-Claire venaient de finir de repeindre leur maison. Ils offrirent gracieusement les pots de peinture qui leur restait. Michel se chargea d'aller les chercher et en profita pour se réconcilier avec sa blonde qui ne lui avait pas encore pardonné sa dernière brosse ! « C'est de la faute à Denis, protesta-t-il. Je m'en suis pas aperçu, que j'avais tant bu. Me pardonnes-tu, ma belle Marie ? » Marie-Claire pardonna, le traita de grand enfant et l'embrassa passionnément. Ah ! l'amour !

Il restait à faire approuver la couleur par grand-maman Alice : le premier pot qu'on ouvrit contenait une peinture d'un rouge flamboyant qui lui plut tout de suite.

— Mon Dieu ! c'est rouge pompier, belle-maman ! dit Hélène. C'est pas un peu voyant, non ?

— Ouvrez le deuxième pot, demanda Alice qui semblait vraiment apprécier ce moment.

Il n'était rempli qu'à moitié d'un jaune canari qu'elle sembla aimer tout autant. Mais aucune des deux peintures ne pouvait couvrir toute la surface de la clôture. Alice proposa donc de les mélanger. Hélène ne put s'empêcher de protester.

— Mais vous n'y pensez pas ! On ne sait pas ce que ça va donner !

La vieille dame répondit que c'était précisément ce qui l'excitait le plus.

— On verra bien, dit-elle en s'emparant du pot de jaune et en le versant dans celui de rouge.

Elle brassa le tout d'une main ferme pendant que les jeunes se poussaient du coude et riaient autour d'elle et qu'Hélène prévoyait une catastrophe.

— Va donc me chercher un peu de blanc, dans le hangar, mon Michel. Je vais vous fabriquer une couleur sensationnelle ! Vous allez voir !

Le résultat fut surprenant. Alice affirma :

— C'est la plus belle des couleurs. On en mangerait presque !

— Il faut la baptiser, grand-maman, dirent en chœur les adolescents. Oui ! oui ! inventez-lui un nom !

Alice parut réfléchir un moment. Cette couleur lui rappelait quelque chose… Un souvenir lointain. Une fête. Des chants d'enfants. De la neige. Un sapin. Un goût sucré qui donne des frissons.

— Oui ! j'ai trouvé ! (Elle semblait illuminée par cette découverte.) Quand j'étais petite fille, avec mes frères et mes sœurs, je me souviens que le matin de Noël on se levait très tôt et on descendait à la cuisine rejoindre ma mère qui nous avait préparé de grands bols de chocolat chaud. « Où il est, papa ? » demandait mon frère Jules.

Seul l'aîné de la famille avait le droit de poser cette question. C'était une tradition chez nous. Et chaque année ma mère lui répondait la même chose : « Votre père est allé ramasser dans la neige ce que le père Noël a laissé tomber pour vous de son grand traîneau du haut des airs. » Les plus jeunes ouvraient des grands yeux ébahis et les plus vieux riaient, cachés derrière leur bol de chocolat fumant. Mon père arrivait et secouait ses bottes sur la galerie. Juste à l'entendre, on frémissait de plaisir. Il prenait tout son temps et finalement entrait dans la maison avec son grand manteau qui lui donnait l'allure d'un géant. Il sentait bon l'hiver et la neige. Sa moustache était pleine de frimas et ses joues, toutes rouges. On sautait tous sur lui et on fouillait ses poches pour trouver enfin chacun notre surprise.

— Qu'est-ce qu'il y avait dans ses poches ? demanda Lulu qui croyait pourtant connaître toutes les histoires de sa grand-mère.

— Quelque chose qu'on ne mangeait qu'une fois par année, ma petite-fille.

— Des bonbons ? suggéra Estelle, la gourmande.

— Non !

— Des gâteaux ? proposa Michel qui avait du mal à imaginer des pâtisseries d'une telle couleur.

— Non plus !…

Grand-maman Alice les regardait, regroupés autour d'elle. Elle se rappelait le bon temps où il lui suffisait de quelques mots pour lancer une histoire et piquer la curiosité des enfants. Ils avaient grandi, c'est vrai, et elle avait vieilli, mais elle constatait avec plaisir qu'elle était encore une conteuse hors pair et qu'elle n'avait rien perdu de sa touche magique.

— C'étaient tout simplement des oranges ! finit-elle par leur dire.

— Des oranges ! !

— Vous avez pas l'air de me croire. Pourtant, c'est la pure vérité. Dans ce temps-là, les oranges coûtaient très cher et nos parents n'avaient pas les moyens d'en acheter. On en mangeait qu'une fois par année, à Noël. Et je me souviens que je cachais la mienne pendant des jours sous mon oreiller pour faire durer le plaisir.

Les jeunes l'écoutaient, un peu incrédules. Recevoir une orange en cadeau ne leur semblait pas très excitant. Il n'y avait vraiment pas de quoi se pâmer.

— Alors, poursuivit Alice, j'aimerais que cette magnifique couleur porte le nom d'Orange de Noël et, sur ce, je déclare ouvert le début des grands travaux.

— Yé ! crièrent tous en chœur les membres de l'équipe des 400 Clous et leurs acolytes.

L'honneur du premier coup de pinceau revint à Lulu. Elle s'exécuta avec adresse devant son grand-père et sa grand-mère qui assistaient fièrement à cet événement sans précédent. Ils avaient tant de fois peint et repeint eux-mêmes cette vieille clôture qu'ils ne pouvaient voir qu'avec attendrissement leur petite-fille perpétuer la tradition. La couleur était si vibrante qu'Hélène en avait des frissons. Gary, lui, se surprit à rêver d'un grand verre de jus d'orange comme celui que sa mère lui servait chaque matin au petit-déjeuner.

— Imagine si on recevait une orange en cadeau à Noël ! dit Lulu à Gary qui éclata de rire.

« De vrais complices », pensa Hélène en les observant. Gary consolidait la clôture, et Lulu le suivait de près avec son pinceau. Toute une équipe ! Hélène surprit le regard jaloux d'Estelle qui les épiait tout en barbouillant une chaise de jardin de sa première couche d'Orange de Noël.

Estelle poussa un profond soupir. Le rose saumon lui donnait le tournis. Jamais elle n'arriverait à mener à bien sa tâche. « Et quelle importance ? » pensa-t-elle. Elle n'avait accepté de participer à tous ces travaux que pour être plus près de Garry, et, depuis le début de la matinée, il l'avait à peine regardée. Il n'avait même pas remarqué à quel point elle travaillait vite pour lui plaire.

« Je déteste peinturer ! se dit-elle. Je déteste balayer ! Je déteste mettre mes mains dans la terre. Je ne sais même pas faire la différence entre une feuille de concombre et une mauvaise herbe ! Et ce que je déteste, par-dessus tout, c'est voir Lulu, mademoiselle je sais tout, faire aller son pinceau comme si elle était Michel-Ange en personne, et changer trois fois de salopette dans la même journée, et se mettre dans les cheveux des foulards de toutes les couleurs, et du rose sur les lèvres ! Pour peinturer ! Pour peinturer ! C'est ça, Lulu, dandine-toi devant ta clôture, et pourquoi tu chanterais pas une petite chanson en anglais par-dessus le marché ? Juste pour accaparer encore plus l'attention de Gary ! »

— Ma belle Estelle ! lui dit Hélène en s'approchant, tu devrais y aller plus doucement. Vois-tu, quand on peinture une chaise, d'habitude, on commence par le haut, puis…

— Tenez, ma tante Hélène, prenez donc mon pinceau. Je suis sûre que vous êtes meilleure que moi. Le jus d'orange, moi, ça m'a toujours donné mal au cœur !

Et Estelle, en colère, s'enfuit vers le chalet où elle s'enferma dans sa chambre jusqu'au repas de midi.

« Pauvre Estelle ! Dans dix jours, les vacances de Gary seront terminées, son père viendra le chercher et tout rentrera dans l'ordre. Du moins, je l'espère ! » pensa Hélène. Et sans qu'elle puisse s'expliquer pourquoi, l'oncle Bob traversa ses pensées. « C'est étrange ! pensa-t-elle. J'ai justement rêvé de lui la nuit dernière. » Dans son rêve, Bob accostait le quai et lui tendait une rose ! « Voyons, se dit Hélène, qui se sentait nerveuse et agitée. Je me prends pour une adolescente ou quoi ? » Elle s'empressa de penser à autre chose. Elle prit le pinceau d'Estelle et le trempa dans le seau. La couleur flamboyante redonna au vieux bois un air de jeunesse. « Moi aussi, quand j'étais petite, pensa-t-elle, j'avais une orange dans mon bas de Noël et… » Le père Noël de son enfance, elle le revoyait comme si c'était hier… et sous sa fausse barbe… il avait les traits de l'oncle Bob ! ! « Ah non ! se dit Hélène, qu'est-ce qui m'arrive ? Je crois que je vais aller tricoter un peu, ça va me changer les idées. »

Pendant ce temps, au pôle nord, le vrai père Noël était tout surpris de voir que, dans une petite île au milieu du Saint-Laurent, on s'intéressait déjà à lui… en plein mois de juillet !

## 10

# *A little cup of tea !*

Grand-maman Alice versa le thé vert dans sa plus jolie tasse, y ajouta une goutte de lait et un morceau de sucre, remua le tout avec une petite cuillère d'argent qu'elle avait rapportée de son pèlerinage au Cap-de-la-Madeleine quand elle était jeune mariée, et se dirigea vers le grand saule.

L'heure du thé avait été longtemps un prétexte pour recevoir de la belle visite et apprendre tout ce qui se passait sur l'île ; elle était devenue maintenant un tendre rituel entre les vieux époux. Quand l'après-midi tirait à sa fin, Alice préparait le thé et venait rejoindre Léon au jardin pour déguster à petites gorgées le liquide chaud et parfumé qui apaise les cœurs.

Parfois ils se parlaient, mais le plus souvent ils ne se disaient rien. Ils se contentaient de regarder au loin, vers le fleuve.

— On dirait qu'il va pleuvoir…

— Peut-être, oui…

Léon buvait son thé avec d'infinies précautions. Sa main tremblait un peu quand il soulevait la tasse jusqu'à ses lèvres. Pour que tout fût parfait, le thé ne devait être ni trop brûlant ni trop tiède. Juste chaud. De cette bonne chaleur qui réchauffe l'intérieur.

— C'est bon, Alice. Très bon.

Ils ne se regardaient pas dans les yeux. Jamais. Trop d'émotion aurait pu surgir de la rencontre de leurs deux regards. Ils regardaient le fleuve et ils se comprenaient. Tout était dit sans l'être.

Gary ramait en silence, avec un léger sourire au fond des yeux. Ses bras puissants faisaient glisser la chaloupe en douceur sur les eaux calmes du fleuve. L'après-midi s'achevait dans une grisaille chaude et humide. Il avait proposé à Lulu un tour de chaloupe jusqu'à la pointe de l'île pour se reposer de tout le travail abattu depuis le matin. La plupart des tâches étaient terminées et la garden-party devait avoir lieu dans deux jours. Ce serait une belle fête, tranquille, pour ne pas fatiguer le vieux Léon.

Les garçons, Michel, Denis et Alain, avaient promis de faire un beau feu de camp après le souper et Gary, sans en parler à personne, avait composé une chanson spéciale pour l'occasion qu'il chanterait en s'accompagnant à la guitare. Fleurette ferait sa célèbre sauce à spaghetti et Hélène s'occuperait du dessert. « Mais tu fais jamais de dessert, maman ! » lui avait fait remarquer Lulu, très étonnée. « Tu ne connais pas tous mes talents, ma fille ! » lui avait répondu Hélène avec une coquetterie qui avait rendu Lulu bien songeuse. « Elle est bizarre, ma mère, ces temps-ci ! »

Les deux adolescents avaient réussi à semer Estelle et, pour ne pas risquer d'entendre Good Night hurler au bout du quai en les voyant partir, ils l'avaient emmené avec eux. Le petit terrier se tenait bien sagement au fond du bateau, couché aux pieds de Lulu qui, elle, laissait traîner sa main dans l'eau, geste qu'elle avait toujours trouvé très romantique !

C'était la première fois qu'ils se retrouvaient seuls depuis l'incident du quartier général. Gary avait attendu que l'occasion se présente à nouveau, mais le hasard n'avait pas joué en sa faveur. Ses vacances tiraient à leur fin ; avant de partir il tenait à faire comprendre à Lulu ce qu'il ressentait pour elle. Il avait donc fini par prendre son courage à deux mains pour l'inviter à cette promenade en bateau, improvisée. Elle avait accepté tout de suite.

Depuis que Gary l'avait presque embrassée, elle ne vivait que dans l'espoir de connaître une deuxième chance. Elle inventait toutes sortes de prétextes pour se retrouver seule avec lui et faisait preuve d'une grande imagination pour susciter l'occasion rêvée, mais il lui semblait plus timide que jamais. Elle revivait sans cesse dans sa tête le moment ultime que l'arrivée d'Estelle et d'Arthur avait inopinément interrompu. Le cabanon embrumé de poussière, la chemise à carreaux de Gary, sa croix dorée si près, et sa bouche qui remplissait l'écran de ses rêves ! Et voilà qu'il lui avait proposé une promenade ! Enfin !

Il ramait, toujours silencieux. Le temps se gâtait. Lulu craignait de le voir décider de faire demi-tour et revenir au quai sans tarder.

— Il commence à pleuvoir…, dit-il.

— On est pas faits en chocolat ! répondit-elle avec son plus beau sourire.

Gary continua à ramer en direction du bout de l'île. Puisque Lulu semblait d'accord, pourquoi ne pas continuer ? Leur promenade ne ressemblait en rien à ce qu'il s'était imaginé. Il était déçu. La pluie venait tout gâcher. Si elle continuait à tomber de la sorte, il leur faudrait rebrousser chemin.

— Je connais une belle cachette pas loin d'ici, dit Lulu. On devrait y aller. C'est une ancienne cabane dans un gros arbre. On pourrait grimper là et attendre que la pluie arrête. J'y suis déjà allée avec Michel quand j'étais petite. Ça te tente-tu ?

Gary hésitait. Si leur promenade se prolongeait au-delà des limites raisonnables, la mère de Lulu ne risquait-elle pas de pousser les hauts cris ?

— C'est comme une vraie forêt. On peut suivre les traces de toutes sortes d'animaux. Et si on ne fait pas de bruit, on peut même voir des renards. Je suis sûre que t'as jamais vu ça. Oh ! dis oui, Gary, *please* ! J'y suis jamais retournée depuis… J'aimerais tellement ça, y aller !

La pluie, qui jusque-là s'était contentée d'effleurer leur visage et d'envelopper la chaloupe d'un léger rideau de brume, se mit à marteler tout ce qui s'offrait à elle. Gary redoubla de vigueur et augmenta la vitesse de ses coups de rame pendant que Lulu, elle, riait aux éclats.

— Wow ! c'est beau ! J'adore la pluie ! dit-elle avec emphase.

La tête levée vers le ciel et la bouche ouverte, elle buvait goutte à goutte cette somptueuse averse d'été si chaude et si douce. Gary n'en finissait plus de s'essuyer les yeux. Il finit par retirer sa chemise toute trempée et la noua autour de sa tête pour se mettre un peu à l'abri.

— T'as l'air d'un grand explorateur de la jungle ! lança Lulu en s'esclaffant.

— Et toi, d'un beau petit mouton !

— Ah non ! dit Lulu qui avait oublié ce que l'humidité pouvait faire à son incroyable chevelure. (« Bon ! ça y est ! J'ai l'air d'un mouton ! ») Bêêê! Bêêê! se mit-elle à bêler pour faire rire Gary. Bêêê! Vite ! Vite ! Une cachette avant que je me transforme en balle de laine et qu'une vieille grand-mère me tricote en chandail.

Gary, sous les indications de Lulu, conduisit l'embarcation jusqu'aux grandes quenouilles entre lesquelles celle-ci s'enfonça sans faire de bruit. Ils traînèrent la chaloupe hors de l'eau, sur la berge, et se mirent à la recherche du sentier qui menait vers l'intérieur des terres.

— Je suis sûre que c'est par ici. Oui ! Je reconnais la grosse roche qui nous servait de point de repère. C'est ici ! Viens, Gary !

Good Night jappa trois fois pour exprimer son accord et disparut dans les herbes folles.

Le paysage était bien différent de ce que Gary connaissait de l'île aux Cerises. La pointe de l'île était un endroit peu fréquenté. La végétation y avait poussé en toute liberté et elle avait un aspect sauvage qui lui rappelait ses romans d'aventures préférés. Les arbres à feuilles et les arbustes indigènes avaient dévoré tout l'espace, et les deux adolescents avançaient avec peine dans un vieux sentier à qui la nature ne laissait plus aucune chance.

Leurs souliers de course pleins d'eau faisaient un bruit curieux à chaque pas, « couic, couic », et les ronces leur égratignaient les mollets au passage. « Couic, couic ! » leur répondit un oiseau, dissimulé dans les feuillages.

— C'est un merle moqueur ! As-tu entendu, Gary ? Il se moque de nous !

Le sentier devenait de plus en plus étroit et Gary devait se pencher pour éviter les branches qui formaient une haie au-dessus de leurs têtes.

— Tu es sûre que c'est par là, Loucie ? lui demanda-t-il avec beaucoup de gentillesse.

Elle se retourna pour lui répondre : « Oui ! » Ses yeux brillaient d'excitation. Elle pressa le pas. La pluie avait cessé. L'atmosphère était gorgée d'une humidité oppressante.

Un fil d'or s'accrocha à une branche et descendit se nouer à ses cheveux bouclés ; c'était un mince rayon de soleil qui avait réussi à percer la masse opaque des trembles, des aulnes et des bouleaux et qui guidait leurs pas vers une petite clairière où ils aboutirent enfin. Good Night revint sur ses pas et s'assit aux pieds de Lulu qui s'était arrêtée.

Elle fut tentée de dire : « Quand j'étais petite… » mais elle ne savait pas comment expliquer à Gary tout ce qu'elle ressentait. Son émotion venait d'abord d'un souvenir qui la ramenait au temps de son enfance où cette première expédition au bout de l'île en compagnie de son cousin Michel avait représenté pour elle… un voyage au bout du monde ! La découverte de cette vieille cache de chasseurs où ils avaient grimpé sans la permission de leurs parents et où ils s'étaient gavés de mûres à s'en donner mal au ventre ! La crainte de voir apparaître l'ours brun terrifiant que Michel avait inventé pour elle ! Mais l'avait-il vraiment inventé ? Et la peur du vide sous ses pieds ! Et les bruits mystérieux que la forêt amplifie ! Tout cela prenait une autre couleur aujourd'hui parce qu'elle n'était plus tout à fait la même et que Gary était près d'elle.

Lulu se tenait au bord de la clairière, un pied dans l'enfance et l'autre dans l'adolescence. Son cœur hésitait entre les deux.

Elle aperçut la cache un peu plus loin, à peine visible entre les branches du gros orme, qui avait continué à pousser avec cette vieille construction de bois séché accrochée à ses flans. Ce n'était plus qu'un vestige du temps passé, plus personne n'y grimpait pour traquer quelques bêtes innocentes et leur enlever la vie.

— Allons-y ! dit Gary en pointant du doigt la cachette qu'il avait lui aussi repérée.

— D'accord, mais il ne faut pas faire de bruit. Si on veut voir des animaux, il ne faut pas leur faire peur.

— Il doit y avoir des ours, ici !

— Tais-toi, lui répondit Lulu qui frissonna rien que d'entendre prononcer le nom de la bête.

Elle saisit la main de Gary et la serra très fort.

— N'aie pas peur ! Je suis là !

Ils avancèrent le plus silencieusement possible jusqu'au gros orme. Gary aida Lulu à grimper à l'échelle à laquelle il manquait quelques barreaux. « Comme c'est bizarre, pensa-t-elle, dans mon souvenir c'était aussi haut que grimper au ciel. » Puis il prit Good Night dans ses bras et la rejoignit. En deux secondes ils furent en haut. La plate-forme était encore bien solide. Elle n'était plus fermée que sur deux côtés et ils s'installèrent, assis, le dos appuyé aux planches. L'espace était si réduit que les pieds de Gary pendaient dans le vide.

— Je pensais que c'était beaucoup plus grand, chuchota Lulu qui n'en revenait pas. C'est minuscule !

Gary se faisait l'effet d'être assis dans une maison de poupée. Il remit sa chemise qui lui avait servi de chapeau. Elle lui colla à la peau. Son corps dégageait une odeur qu'il n'était pas bien sûr d'apprécier.

— Je sens le chien mouillé, dit-il en s'excusant.

Good Night, insulté par cette remarque déplacée, se mit à grogner.

— Chut ! Tu vas tout gâcher ! dit Lulu au petit terrier. On aurait dû te laisser sur le quai, toi !

Le chien se coucha dans le fond de la cabane. « Qu'est-ce qu'on est venus faire ici ? » se demanda-t-il, perplexe.

Lulu appuya ses bras sur ses genoux repliés et y posa la tête. Ses cheveux dégouttaient le long de son dos et elle sentait sur le bord de son visage des dizaines de petites bouclettes bien serrées qui se tortillaient sur elles-mêmes en toute liberté. « Tu parles d'un moment pour avoir l'air d'un mouton ! » Elle aurait donné n'importe quoi pour se transformer l'espace d'une seconde en une magnifique princesse aux longs cheveux soyeux… droits et raides, sans la moindre ondulation ! !

— Loucie, regarde !

Gary la fit sursauter. Il pointait du doigt l'autre extrémité de la clairière où il avait cru apercevoir un mouvement vif et une tache de couleur se faufiler dans le vert foncé des arbustes. Mais l'apparition ne dura qu'une seconde et puis plus rien…

— Je pensais que c'était un petit animal, dit-il, un peu déçu.

Gary se sentait mal dans sa peau. Pourtant, il avait tant souhaité ce moment. « À quoi bon, pensa-t-il, se retrouver mouillé des pieds à la tête, les jambes pendantes dans le vide avec ce chien qui m'épie d'un air bizarre ! » Il se sentait si démuni.

Il jeta un coup d'œil vers Lulu. Elle regardait au loin, dans le vague. « Elle s'ennuie avec moi, j'en suis sûr ! pensa-t-il. C'est foutu. Je suis le garçon le plus ennuyeux de la terre. Comment ai-je pu penser qu'une fille comme elle s'intéresserait à moi ! »

Il était si près d'elle qu'il pouvait voir les fines gouttelettes d'eau qui descendaient sur sa nuque, là où la pousse de ses cheveux formait comme la pointe d'un cœur. Jamais il n'avait regardé une fille avec autant d'attention. Et s'il osait y poser les lèvres ? « Non, se dit-il, c'est impossible, je n'oserai jamais. » Il se pencha un peu pour tester sa hardiesse. Peut-être après tout aurait-il l'audace de tenter l'impossible… Lulu se redressa et lui demanda :

— C'est comment chez toi ?

La question le prit tellement par surprise qu'il faillit répondre : « C'est une vieille cabane, en haut d'un arbre ! » Il retrouva son aplomb et dit :

— C'est sur le bord de la mer.

— C'est comment, la mer ?

— T'as jamais vu la mer ?

— Non !

Elle le fixait avec de grands yeux qui voulaient tout connaître. Elle semblait lui dire : *Raconte-moi, Gary ! Parle-moi de la mer. On dit qu'elle est immense. C'est vrai ? On dit que parfois elle gronde et que ses vagues sont plus hautes que des maisons. On dit qu'elle est tellement salée qu'on y flotte comme un ballon ! Qu'elle abrite des poissons fabuleux et des requins qui dévorent les enfants ! La mer !*

Gary aurait bien aimé connaître la formule magique qui les aurait transportés tous les deux sur la plage de son village natal, en Nouvelle-Angleterre. Les pieds dans le sable frais, ils auraient marché en se tenant par la main, en évitant les vagues qui remontent de plus en plus vite à marée haute. Ils se seraient arrêtés au grand phare, celui qu'on avait repeint l'année précédente tout en noir et blanc, et assis sur une vieille barque renversée, il aurait passé son bras autour des épaules de Loucie et ils seraient restés ainsi pendant des heures jusqu'au coucher du soleil… à regarder la mer.

— Le fleuve, tu dois trouver ça ennuyeux ? lui demanda-t-elle avec mélancolie.

— Non ! Loucie ! Il est très beau, ton fleuve… Je ne l'oublierai jamais…

Il lui prit la main et la garda dans la sienne longtemps, très longtemps.

— Quand j'étais enfant, j'avais très peur de la mer. C'est drôle, hein ? Ma mère disait que dès qu'elle essayait de m'approcher de l'eau, je me mettais à pleurer. Avant même que mes pieds touchent la vague, je hurlais et je me débattais. Ça avait le don de mettre mon père en colère. Il reprochait à ma mère de trop me protéger, de me garder sous ses jupes. Alors, un jour, il a décidé d'en finir une fois pour toutes avec toutes ces… niaiseries comme vous dites ici ? J'avais peut-être sept ans, il m'a pris dans ses bras et il m'a jeté dans la mer, comme ça, sans m'avertir. Ma mère lui en a voulu pendant des jours. C'est la seule fois où je les ai entendus se chicaner.

— Mais qu'est-ce qui est arrivé ?

— J'ai appris à nager ! ! répondit-il en riant. Je me suis tellement débattu que j'ai fini par flotter.

L'image d'un petit Gary pataugeant dans le vaste océan frappa Lulu en plein cœur. Comment l'oncle Bob avait-il pu faire une chose pareille ?

— Si j'avais été là, je t'aurais sauvé, moi !

— Merci, Loucie.

Elle appuya sa tête sur son épaule et ils demeurèrent ainsi à contempler le fleuve au loin qui suivait son chemin naturel vers la grande mer. Ils étaient faits de la même eau et coulaient depuis la nuit des temps. Eau douce, eau salée, petites et grandes marées, poissons innocents ou méchants requins, longues quenouilles ou lichens marins, ils étaient nés pour se rencontrer un jour, se cotoyer puis s'abandonner pour poursuivre chacun leur grande traversée.

— Veux-tu réchauffer ton thé, Léon ?

La pluie les avait forcés à quitter le jardin pour se réfugier à l'abri sur la petite galerie.

— Te souviens-tu, Alice, la première fois qu'on est allés à la mer ?

— Oui, je m'en souviens... L'eau était si froide. On était jeunes... très jeunes.

Bien sûr qu'Alice s'en souvenait. Ce n'était pas la grande mer encore, c'était à Matane, là où le fleuve grandit et subit ses premières marées. Elle n'en revenait pas que, même avec les jumelles, elle ne pût voir la côte de l'autre côté. L'infini ! C'est impressionnant, la première fois qu'on rencontre l'infini.

— Quand tu regardes devant toi, poursuivit Gary, tu ne vois que la mer et rien d'autre. La mer et le ciel ! Si tu viens me rendre visite, l'été prochain, avec ta mère, je t'emmènerai voir la mer.

— J'aimerais ça..., répondit-elle.

À cet instant précis, Lulu se sentait prête à déplacer

des montagnes pour voir ce projet se concrétiser. Si le grand Américain lui avait proposé ce voyage, elle représentait donc quelqu'un d'important à ses yeux. Peut-être même est-il amoureux ? Oui ! C'était bien de cela qu'il s'agissait, d'amour ! Et il allait partir dans quelques jours ! Ah ! mon Dieu ! il ne fallait pas le laisser partir comme ça. Il fallait absolument lui dire à quel point il comptait pour elle.

La tristesse de son départ s'abattit d'un seul coup sur elle. Les jours à venir risquaient d'être bien sombres.

— Qu'est-ce qu'il y a, Loucie ?

— Tu vas partir bientôt !

Et Lulu se mit à pleurer. Sans retenue. Sans pudeur. Elle pleurait. Elle n'y pouvait rien. Ses larmes n'obéissaient à aucune logique, à aucun bon sens. Jamais elle n'aurait cru être capable de tant d'abandon devant un garçon. Gary était stupéfait, et touché, et ému, et…

— Je t'aime, Loucie, murmura-t-il. Ne pleure pas. *Please, baby, don't cry.*

Il la prit dans ses bras, essuya ses larmes, caressa ses cheveux bouclés. Sa grande main posée sur la joue de Lulu était la plage où venaient mourir ses larmes. « Je t'aime, Loucie. »

Il s'approcha encore davantage et elle ferma les yeux. Le sort en était jeté, Gary était son amoureux. Il posa ses lèvres chaudes sur les siennes, et la forêt entière fut secouée par tant d'amour. Le renard sortit de sa tanière et les observa longuement. Il traversa toute la clairière sans que personne ne remarquât sa présence, puis il s'enfuit à la recherche d'une femelle pour lui parler d'amour. Le merle moqueur se tut. « À quoi bon se moquer ? pensa-t-il. Le temps des amours est si court. » Les écureuils valsaient de branche en branche pour se conter fleurette et le loup, qui ne s'aventurait plus jamais jusque-là, le loup poussa vers le ciel son grand cri de loup, puissant et vibrant, qui alla jusqu'au cœur de Lulu. Elle en perdit le souffle un moment.

— Le beau temps est revenu, dit Alice.

Personne ne lui répondit. Léon s'était assoupi.

« Oui ! c'était si beau, la mer ! Avant… »

— Viens, Gary ! Il faut rentrer maintenant.

Il quémanda un dernier baiser qui lui fut accordé. Puis encore un autre. Lulu ne pouvait détacher ses lèvres des siennes. Dans quelques jours, ce serait fini. Elle voulait plus que tout capturer le moment présent. Toujours s'en souvenir. Ne jamais l'oublier. Jamais !

— *Gary ! I love you too !*

Ils étaient debout, les pieds dans le fleuve, au milieu des quenouilles, quand elle prononça ces mots si doux. Gary la souleva de terre dans ses bras, tourna deux fois sur lui-même en riant et la déposa dans la chaloupe qu'il poussa ensuite vers le fleuve. Il se mit à ramer avec vigueur ; la position du soleil lui indiquait que le temps avait filé à toute vitesse. « J'ai une faim de loup ! » se dit-il. Et il pensa soudain à la maman de Lulu qui les attendait peut-être de pied ferme sur le quai.

Eh bien ! les deux adolescents auraient été fort surpris de savoir qu'Hélène avait bien d'autres chats à fouetter. Fleurette et elle avaient passé des heures enfermées dans le chalet des Tremblay à se mettre sur la tête toutes sortes de produits qui dégageaient une odeur terrible et qui avaient pour but de donner à leur chevelure des reflets surprenants. Fleurette avait découpé une recette spéciale dans une revue de mode et s'était procuré les produits avant de partir pour l'île. Elle n'avait pas eu de mal à convaincre Hélène qu'un petit changement lui ferait le plus grand bien. Personne, pas même Arthur, n'avait le droit d'entrer.

Leurs rires et leurs éclats de voix parvenaient jusqu'au chalet de grand-maman Alice, et celle-ci était à peu près sûre d'avoir reconnu le bruit de deux bouteilles de bière qu'on décapsule. Elle se réjouissait d'entendre Hélène s'amuser. « Je devrais peut-être faire comme elles », pensa-t-elle en se regardant dans le miroir. On avait beau la surnommer encore « la Rougette », elle n'en avait plus que le titre et sa belle tignasse de feu avait pris de plus en plus la couleur de la cendre. « À quoi bon ! Je suis une vieille femme, maintenant… »

Estelle avait passé une partie de l'après-midi à cueillir des framboises à la ferme. Alain Tourville l'avait suivie comme une queue de veau et lui avait demandé au moins deux fois : « Ta cousine Lulu, est-ce qu'elle va venir te rejoindre ? » « Non ! » lui avait-elle répondu, agacée. Il était quand même resté avec elle et l'avait aidée à remplir sa chaudière. Alain avait l'habitude et il allait beaucoup plus vite qu'elle. « J'avais jamais remarqué qu'il avait de beaux yeux verts », se dit-elle pendant qu'elle le laissait travailler et qu'elle l'observait à travers les branches des framboisiers.

Une fois revenue, elle avait erré sans trop savoir quoi faire. Sa mère et sa tante Hélène s'étaient enfermées dans le chalet et leur préparaient, semblait-il, toute une surprise. Estelle reconnut l'odeur qui s'échappait par les fenêtres ouvertes. « Changer de couleur de cheveux ! Tu parles d'une surprise ! »

Elle partit à la recherche de Gary ; il était introuvable. Aucune trace de Lulu non plus. « Curieux ! » se dit-elle. Elle descendit sur la rive et reconnut au loin la chaloupe de grand-papa qui revenait vers le quai. « J'aurais dû m'en douter ! »

Gary ramait et Lulu laissait flotter sa main dans l'eau. Ne se sentant pas la force de les affronter, Estelle courut se cacher dans les buissons sous l'escalier de bois pour les épier. Les prédictions de mémère Tourville lui trottaient dans la tête. Et si les cartes avaient dit vrai ? Si Lulu était sa rivale dans le cœur de Gary ?

Le grand Américian accosta et attacha la chaloupe. Il aida Lulu à grimper sur le quai et déposa Good Night à ses pieds. « Ah non ! se dit Estelle, le chien va me faire repérer ! » Mais le petit terrier, trop content d'aller et venir à sa guise, grimpa l'escalier à toute vitesse et ne s'aperçut pas de sa présence.

Gary, debout sur le quai, à deux pas de Lulu, ne semblait pas pressé de s'en aller. Il murmura quelque chose qu'Estelle n'arriva pas à saisir. « Qu'est-ce qu'il a à chuchoter comme ça ? » pensa-t-elle, les oreilles et les yeux aux aguets. Lulu ne bougeait pas, elle non plus. Elle regardait de tous les côtés. « Qu'est-ce qu'elle cherche ? » Estelle se fit toute petite dans les broussailles. Ensuite, tout se passa très vite, si vite qu'elle n'était pas bien certaine d'avoir vu ce qu'elle avait vu ! Gary se pencha et... il posa un rapide baiser sur les lèvres de Lulu... qui se laissa faire ! Puis en se tenant par la main, du bout des doigts, ils passèrent au-dessus d'Estelle avec cet air repu qu'ont les enfants qui viennent de dévorer un énorme gâteau à la crème !

Estelle resta longtemps dans sa cachette. Elle continua à regarder le quai. « Je me suis peut-être imaginé tout ça ? pensa-t-elle. C'est un mauvais rêve... Réveille-toi, Estelle ! Réveille-toi ! » Elle aurait voulu se mettre en colère, aller trouver Lulu et lui dire sa façon de penser, mais elle se sentait déjà assez humiliée sans en rajouter. « Elle est frisée comme un mouton, pis elle a même pas de seins ! » ragea-t-elle méchamment sans trop y croire.

Il lui fallait se décider à quitter sa cachette, sinon elle risquait de se faire découvrir. Si quelqu'un arrivait, comment expliquer sa présence sous l'escalier ? Elle s'extirpa de son trou et se débarrassa avec agacement des chardons qui lui collaient aux fesses. Puis elle alla s'asseoir sur le quai, enleva ses chaussures et se mit les pieds dans l'eau. Elle était douce et fraîche et elle écarta les orteils plusieurs fois de suite pour imiter les nageoires des poissons.

Gary allait partir dans quelques jours. « Bon débarras ! se dit-elle. On va enfin pouvoir s'amuser ! Fini la peinture et les travaux ! Il n'y a plus personne qui va m'obliger à nettoyer de vieux pinceaux tout rabougris ! Ni à me mettre à quatre pattes pour arracher des mauvaises herbes ! Moi, je vais m'asseoir et je vais les regarder pousser, les mauvaises herbes ! Allez, poussez, petites mauvaises herbes ! Mademoiselle Lulu va venir vous ramasser comme son grand ami Gary le lui a montré ! Et je ne me lèverai plus jamais avant midi et je vais passer mes après-midi à manger des bonbons et des cochonneries et je vais devenir grosse et pleine de boutons et je m'en fous ! ! ! Je m'en fous ! ! ! »

Elle sentit ses yeux s'embuer de larmes qu'elle ravala aussitôt.

« Je m'en fous ! ! ! »

11

# Garden-party

L'oncle Bob était attendu vers le milieu de l'après-midi. Le temps était magnifique. Dans le ciel tout bleu, le soleil se pétait les bretelles, et la nature chantait un air d'été où chaleur rimait avec fleurs, odeurs, couleurs et tout ce qui met de la joie au cœur.

Lulu et Gary finissaient d'installer le ruban symbolique qui marquait l'entrée du potager. Léon le couperait lui-même tout à l'heure et donnerait le signal du début des festivités.

Les deux complices étaient fiers d'avoir si bien réussi à redonner au potager ses lettres de noblesse. Il était beau. Très beau, avec juste quelques petites erreurs pour qu'il ne soit pas plus beau que celui de Léon dans ses grandes années.

Les pieds de tomates transplantés par Michel et Denis avaient bien supporté leur changement de domicile, et les laitues qu'ils avaient repiquées s'alignaient toutes droites dans leur allée. Les framboisiers nettoyés respiraient enfin et les petits fruits rose pâle allaient bientôt virer au rouge vif. La clôture « Orange de Noël » s'étirait autour du potager comme une guirlande de fête et, chaque jour, grand-maman Alice s'extasiait devant la beauté de sa couleur.

Les adultes avaient bien sûr jeté à tour de rôle un œil sur les travaux, tantôt critique, tantôt louangeur, mais ils n'avaient pas tout vu ! Oh non ! Les jeunes leur réservaient encore une surprise qui ne leur serait dévoilée qu'à la dernière minute de la cérémonie.

Gary en avait eu l'inspiration pendant qu'il observait les oiseaux qui venaient picorer les graines à même le sol. Il se rappela que sa mère, quand il était petit, fabriquait chaque année un épouvantail qu'elle plantait bien en vue au milieu de son jardin. Pour le confectionner, elle employait du foin, de vieux vêtements usés, des bouts de tissu, de laine, sans oublier le plus important : un grand chapeau de paille effiloché. Tout cela prenait l'allure d'un être humain qui faisait fuir les oiseaux et protégeait la récolte. Denis, entraîné par Michel, avait eu bien du plaisir à participer à ce projet et, foi de mémère Tourville, il y avait longtemps qu'elle n'avait pas vu son Denis s'amuser comme un enfant !

On aurait dit que, pour une journée, le temps s'était arrêté à l'île aux Cerises. On oubliait pour quelques heures que grand-papa Léon ne verrait sans doute pas l'hiver et que grand-maman Alice aurait à vivre les jours les plus pénibles de sa vie. On mettait de côté la tristesse et la peur et tous ensemble, comme une grande famille, on célébrait la vie.

Même Léon avait saisi la belle occasion qui s'offrait à lui de montrer à tous ceux qui l'aimaient qu'il pouvait être fort et courageux, et sourire, et apprécier les petits et grands bonheurs que la vie avait encore à lui offrir. Sa femme avait repassé sa chemise préférée et il avait tenu à mettre sa cravate du dimanche. Elle flottait un peu autour de son col trop grand, mais il avait quand même fière allure, rasé de frais, parfumé, avec son vieux veston posé sur ses épaules.

« Qui est donc ce prince qui nous rend visite ? » avait demandé sa sœur Solange en se penchant vers lui pour l'embrasser. « Comme tu es beau, mon petit Léon ! » lui avait chuchoté à l'oreille Maria, son aînée. Les deux vieilles dames, toujours élégantes, s'étaient assises de chaque côté de sa chaise longue et lui tenaient la main. En aussi agréable compagnie, le vieillard s'assoupit un moment.

Lulu était seule dans le quartier général. Elle finissait d'emballer le cadeau destiné à son grand-père : une casquette de capitaine en toile bleu marine, décorée d'une belle ancre brodée de fil blanc. Les Tremblay l'avaient commandée dans le catalogue chez mémère Tourville et elle était arrivée juste à temps.

L'adolescente se hâtait, il y avait encore plein de choses à faire et elle n'avait même pas eu le temps de choisir la robe qu'elle allait porter. Le papier d'emballage se déchira sous ses doigts. « Zut ! je suis maladroite, moi, aujourd'hui. C'est pas croyable ! » pensa-t-elle.

— Lulu ! l'appela Estelle qui depuis un moment l'observait par la porte entrouverte.

Sa cousine ne lui jeta qu'un œil distrait et continua à se battre avec le papier d'emballage.

— Lulu ! insista-t-elle. Il faut que je te dise quelque chose.

— Je suis très pressée, Estelle ! lui répondit Lulu sans la regarder.

Estelle s'approcha si près que Lulu la poussa du coude en enroulant le ruban autour du cadeau.

— Tu ne vois pas que je suis occupée ? Fais-tu exprès pour me nuire ?

Estelle ne répliqua pas et resta sur place sans bouger. Son silence finit par intriguer Lulu qui se tourna vers elle et constata à quel point elle était pâle. Elle avait pleuré, ses yeux étaient encore gonflés de larmes.

— Qu'est-ce qu'il y a ? demanda Lulu doucement.

Estelle hésita encore un peu et finalement se décida à parler :

— Je t'ai vue embrasser Gary sur le quai. J'étais cachée sous l'escalier.

Sa rage et sa colère disparues, Estelle venait maintenant vers son amie dans l'espoir de trouver un peu de réconfort. Ce secret pesait trop lourd sur son cœur. Elle ne pouvait pas supporter toute seule tant de tristesse et de déception.

Surprise par cet aveu, Lulu ne savait plus comment réagir. La triste mine d'Estelle réveillait sa culpabilité. Elle savait bien pourtant qu'elle n'avait aucune raison de se sentir coupable. Jamais elle n'avait pensé que ce grand Américain qui faisait rêver Estelle allait devenir son amoureux ! Et jamais elle n'avait souhaité faire de la peine à sa cousine. Elle était tombée amoureuse sans même s'en apercevoir. Elle ne l'avait pas cherché. Tout cela était arrivé malgré elle.

— C'est pas de ma faute, Estelle, lui dit-elle, pleine de regrets. C'est arrivé comme ça... Je l'aime... Tu comprends ?

Estelle fit un petit signe de la tête qui signifiait qu'elle savait ce que cela représentait. Elle ne le savait que trop bien !

— Et il s'en va demain ! poursuivit Lulu en se précipitant dans les bras de son amie.

Les deux cousines pleurèrent ensemble leur chagrin et se consolèrent mutuellement. C'était bon de se retrouver ! Leur amitié était précieuse ! Elles se jurèrent que jamais un garçon ne viendrait rompre un lien si doux.

— À la vie, à la mort ! proclama Estelle en mêlant ses larmes à celles de sa cousine.

— À la vie, à la mort ! répondit Lulu en y mettant tout son cœur. Dépêchons-nous, maintenant. Il faut qu'on aille se faire belles pour que personne ne s'aperçoive qu'on a pleuré.

— Je vais mettre ma jupe fleurie, dit Estelle, tout excitée malgré ses larmes. Je suis sûre qu'Alain Tourville aime ça, les filles en jupe. As-tu déjà remarqué ses yeux ? continua-t-elle en se mouchant bruyamment. C'est incroyable ! Ils sont verts comme les feuilles des arbres. Il n'arrêtait pas de me suivre dans les framboisiers. Je ne savais plus comment m'en débarrasser !

Lulu leva les yeux au ciel.

— Vite, Estelle. Tu me raconteras tout ça plus tard, hein ?

Grand-maman Alice, Hélène et Fleurette, toutes trois en robe du dimanche, s'activaient à la cuisine. Les jumelles à portée de la main, elles surveillaient la côte, à tour de rôle. Bob n'allait pas tarder à arriver. Son fils était déjà sur l'autre rive à l'attendre, dans la chaloupe à moteur que Léon lui avait prêtée.

Hélène jeta un dernier coup d'œil dans le miroir. Ses cheveux lui plaisaient. Ils avaient un joli reflet cuivré qui mettait en valeur le gris pâle de ses yeux et même si sa Lulu avait protesté contre ce changement « bizarre », elle était contente du résultat. « Heureusement que la recette a réussi ! » songea-t-elle en regardant sa pauvre voisine.

Fleurette, en effet, avait eu moins de chance avec ses cheveux et ils avaient encore, malgré de nombreux rinçages répétés, une curieuse tendance à tourner au rose. Arthur avait failli mourir de rire en la voyant surgir devant lui comme une pivoine du printemps. « T'es-tu trompée dans ta recette, ma bourgeoise ? » lui avait-il demandé en lui administrant une bonne tape sur les fesses. « Qu'est-ce qu'il y a ? lui avait rétorqué sa douce moitié. Je ne suis plus ta fleur préférée ? » Gros baisers, grosses caresses, beaucoup de taquineries, beaucoup d'amour ! Fleurette avait le cœur à la fête et ce n'était pas quelques mèches roses qui allaient venir assombrir son goût de « faire le party ! » comme elle disait.

— Ils arrivent ! cria Lulu. Oh ! oncle Bob a une énorme boîte dans les mains. Je ne sais pas ce que c'est...

Les femmes enlevèrent leurs tabliers et se précipitèrent sur la galerie. Elles se passèrent les longues-vues et cherchèrent à deviner ce que Bob pouvait bien transporter.

— C'est gros, affirma Alice.

— C'est lourd, ajouta Fleurette.

— On dirait que c'est comme un meuble, fit Hélène.

La chaloupe se rapprocha et l'oncle Bob agita le bras au-dessus de sa tête. Même si l'on ne pouvait pas encore voir distinctement son visage, il était évident qu'il souriait de toutes ses dents.

Pourquoi était-il si heureux de revenir à l'île aux Cerises ? Pour une première raison facile à comprendre : il était vraiment content de retrouver son fils, la maison lui avait semblé bien vide et bien triste sans lui. Et pour une deuxième raison plus mystérieuse qui faisait briller ses yeux d'un éclat qu'il avait cru perdu pour toujours.

Gary lui parut transformé. L'oncle Bob n'aurait pas su dire en quoi exactement son fils avait changé ; c'était plutôt une intuition, oui, que son grand garçon avait apprécié ses vacances. « Il y aurait une fille en dessous de tout ça que ça ne m'étonnerait pas ! » pensa-t-il en tentant de croiser le regard de son fils qui baissa les yeux.

Bob distinguait de mieux en mieux les trois robes fleuries regroupées sur la galerie. Il plissa les yeux pour tenter d'identifier celle qu'il espérait y trouver. Elle était là, au milieu, plus menue que les deux autres et d'un port de tête plus gracieux. « Hélène ! Quel joli nom ! » se dit-il.

Un léger nuage traversa le ciel. Le soleil revint au moment où la chaloupe accostait le quai. Il éclaboussa de lumière les cheveux d'Hélène, et Bob tomba sous le charme. *« How lovely, she is ! But who is that lady in pink, beside her?* » se demanda-t-il au sujet de Fleurette qu'il n'avait pas reconnue.

Lulu fut la première à descendre sur le quai pour les accueillir, suivie de Good Night qui jappait de joie. En un éclair, l'oncle Bob comprit que cette petite frisée devait être celle qui avait conquis le cœur de son grand Gary. Les deux adolescents faisaient pourtant bien des efforts pour paraître indifférents l'un à l'autre, mais ils avaient le mot « amour » tatoué sur le front, en lettres majuscules !

Bob, qui n'avait pas l'habitude de se montrer affectueux avec son fils, le prit dans ses bras et l'embrassa. Gary ne savait plus où se mettre. Il embrassa Lulu aussi et les deux adolescents se retenaient pour ne pas rire. « Quelle mouche l'a piqué ? » se demandèrent-ils tous deux.

À quatre heures, comme prévu, tous les invités se réunirent à l'entrée du jardin.

Lulu grimpa sur une caisse de pommes et prit la parole au nom de l'équipe des 400 Clous. Elle avait répété son texte plusieurs fois et la peur de bafouiller lui donnait mal au ventre. Sa mère lui avait conseillé de laisser parler son cœur, tout simplement.

— Grand-maman, grand-papa, chers invités, l'équipe des 400 Clous est fière aujourd'hui de vous montrer ce que des jeunes sont capables de faire quand ils se mettent tous ensemble pour travailler. Nous avons voulu donner un coup de main à grand-papa Léon qui est trop fatigué cette année pour s'occuper de son jardin. J'espère, grand-papa, que tu vas être content et qu'on a pas fait trop de bêtises. Je voudrais remercier tous ceux et celles qui nous ont aidés. Mémère Tourville, merci pour les plants de tomates. Merci aussi à Michel, Denis et Alain qui ont travaillé très fort. Je ne savais pas qu'Elvis était un aussi bon jardinier !

— Oh ! Yé ! cria Michel.

Denis devint rouge comme un coq et Alain fit un clin d'œil à Lulu qu'elle ne remarqua même pas.

— Merci à mon oncle Arthur et à ma tante Fleurette de nous avoir prêté leur vieux cabanon.

— Il a jamais été si beau ! répliqua Arthur en s'allumant un gros cigare.

— Merci à Marie-Claire pour la peinture. Je suis sûre que tes parents ne reconnaîtraient pas la couleur. « Orange de Noël », c'est plutôt rare, hein, grand-maman ?

— C'est la clôture la plus originale de toute l'île aux Cerises, proclama Alice avec son plus beau sourire.

— Merci à ma cousine Estelle, continua Lulu. Tout le monde sait comme elle adore peinturer ! Merci à notre chef des travaux (et là elle sentit l'émotion la gagner et essaya de passer vite sur le sujet !), Gary, qui… qui a été… très… travaillant !

Lulu ne savait plus très bien où elle en était, et sa mère lui montra les ciseaux qu'elle tenait à la main.

— J'invite maintenant mon grand-père à couper le ruban.

Léon s'approcha à petits pas. Hélène lui tendit les ciseaux qui parurent énormes dans sa main amaigrie. Il tremblait et il était ému. Lulu glissa sa main dans la sienne pour l'aider. Au moment où les deux bouts de ruban tombèrent sur le sol, on entendit sauter un bouchon de champagne. C'était un cadeau de l'oncle Bob pour souligner l'événement. On servit le mousseux dans de jolies coupes et tout le monde porta un toast à grand-papa Léon et à l'équipe des 400 Clous. Grand-maman Alice était ravie : enfin, elle l'avait, sa garden-party !

— Chut ! Chut ! Tout le monde ! demanda Estelle. Gary veut nous dire quelque chose.

Le grand Américain s'avança et prit la parole. Il semblait très à l'aise et son père en resta stupéfait.

— J'aimerais profiter de l'occasion pour remercier ma tante et mon oncle qui m'ont accueilli chez eux. J'ai beaucoup aimé mes vacances, ajouta-t-il avec un grand sourire et Lulu sentit que c'était à elle que cette phrase était adressée. Nous vous avons préparé une petite surprise. Je vous demanderai tous de vous tourner de dos et d'attendre mon signal.

L'équipe des 400 Clous courut vers le quartier général et transporta l'épouvantail au jardin. Gary avait déjà préparé le socle. Il ne restait plus qu'à y faire entrer l'armature de bois. Hélène jeta un petit coup d'œil furtif derrière elle pour voir si tout allait bien et croisa le regard de Bob. « Très joli, les cheveux », chuchota-t-il. Elle baissa les yeux en souriant. « C'est rare, un homme qui remarque des petits détails comme ça ! » pensa-t-elle.

Good Night se mit à japper furieusement et à défendre son territoire contre ce géant qui venait d'entrer dans le jardin.

— Bon ! maintenant, vous pouvez vous retourner, lança Gary.

Grand-papa Léon éclata de rire. Oui ! on peut dire « éclata de rire ». C'était petit, certes, mais c'était bien d'un éclat de rire qu'il s'agissait. Il faut dire que l'épouvantail en question était fort réussi ! Habillé d'une vieille salopette lui ayant déjà appartenu et coiffé de son célèbre chapeau colonial, il veillerait désormais sur le potager avec vigilance et protégerait les semences et les petits fruits. De ses grands bras tendus pendaient des bouts de tissu auxquels les filles avaient accroché des petits grelots qui tintaient au moindre coup de vent. L'épouvantail fut chaudement applaudi et tout le monde se dirigea vers le parterre pour la remise des cadeaux.

L'oncle Bob déballa l'énorme paquet qui piquait la curiosité de tous les invités, et Léon fut très heureux de recevoir en cadeau une belle chaise de jardin, au matelas souple et confortable, où on l'installa sans plus attendre, un peu à l'écart, pour qu'il puisse se reposer.

Les yeux protégés par sa casquette de marin d'eau

douce qui lui allait à merveille, et bien installé sur sa nouvelle chaise, Léon, épuisé, tomba dans un sommeil profond.

Il se mit à rêver. Il rêva qu'il était un petit enfant, à quatre pattes dans les framboisiers, en train de dévorer en cachette ces fruits qui mettent du rouge sur les mains et sur les lèvres. Une grande ombre surgit derrière lui. Il se retourna, croyant voir l'épouvantail lui cacher le soleil, et il aperçut sa mère qui venait vers lui. Sa mère ! Comme elle était belle ! Sa robe longue traînait jusqu'à terre et une fine voilette, attachée à son grand chapeau de paille, couvrait le haut de son visage. « Viens, mon petit Léon, que je t'embrasse », lui dit-elle d'une voix plus douce que le miel. Elle se pencha et le prit dans ses bras. Comme elle sentait bon ! Léon sourit dans son sommeil. Il y avait si longtemps qu'il n'avait pas vu sa mère. « Maman ! » murmura-t-il tout bas.

— Laissons-le dormir, dit Solange. On dirait qu'il rêve aux anges.

Ce fut la plus belle nuit de l'été !

Le feu de joie pétillait et la famille et les amis réunis autour chantaient de vieilles chansons et se rappelaient de beaux souvenirs.

Good Night, caché sous la chaise de Léon, grignotait avec délices un coton de maïs oublié qui allait le tenir occupé une bonne partie de la soirée.

On avait mangé les premiers épis de la saison et Ulysse Tourville avait de quoi être fier de sa récolte. Plus sucré et plus juteux que jamais, le maïs avait fait fureur, mais le plus gros succès du souper revenait à Hélène qui avait surpris tout son monde en réussissant un gâteau très difficile à réaliser avec les moyens du bord, un gâteau typiquement américain dont la recette venait de la région même de l'oncle Bob : un *Boston Cream Pie* ! Lulu en était éberluée. Elle n'avait jamais vu sa mère faire autre chose que du Jello à trois couleurs et du pouding à la vanille, aussi se posait-elle de sérieuses questions sur le pourquoi de ce dessert. L'oncle Bob en avait pris deux parts et les avait dévorées comme l'ogre avait dû dévorer le Petit Poucet. Il s'en léchait encore les babines.

« C'est dégoûtant ! avait pensé Lulu. On dirait qu'il n'a jamais rien mangé de sa vie ! » Gary lui avait demandé à l'oreille : « Peux-tu m'expliquer comment ta mère a fait pour deviner que c'est le dessert préféré de mon père ? » « Aucune idée ! » lui avait répondu Lulu qui continuait pourtant à réfléchir à cette énigme.

Les invités repus avaient réclamé du thé et grand-maman Alice en avait préparé plusieurs théières qu'on tenait au chaud près du feu.

— Alors, dit l'oncle Bob en s'adressant à Lulu, ce qui eut pour effet immédiat de la mettre mal à l'aise. (« Qu'est-ce qu'il va me demander ? » s'inquiéta-t-elle.)

Alors, Lulu, si tu nous racontais un peu ce que tu as appris à l'école sur le Boston Tea Party…

Estelle faillit s'étouffer et donna un coup de coude si violent à sa cousine que celle-ci renversa sa tasse sur son pantalon. Lulu était prise au piège. Elle n'avait aucune idée de ce qu'était le Boston Tea Party et si elle s'était vantée un jour de savoir de quoi il s'agissait, ce n'était que pour tirer Gary d'embarras. Il aurait bien voulu lui rendre la pareille, mais rappelons-nous qu'il avait coulé son cours d'histoire ! L'oncle Bob partit d'un grand éclat de rire.

— Tu sauras qu'on n'apprend pas à un vieux singe à faire des grimaces, dit-il, l'œil malin et la mine réjouie. Eh bien ! puisque personne ici ne semble connaître ce fait marquant de l'histoire des États-Unis, je vais vous le raconter.

Gary jeta un regard désespéré autour de lui. On n'allait pas passer la soirée à écouter son paternel donner un cours comme si on était à l'école !

— On est en vacances, *daddy, could you remember that* ?

« *You can do anything but don't you step on my blue suede shoes !* » chanta Denis qui n'avait qu'un but dans la vie : s'amuser !

« *Blue, blue, blue suede shoes* », entonnèrent en chœur tous les jeunes qui finirent par avoir raison de l'oncle Bob.

— Bob, lui dit Hélène, j'aimerais bien l'entendre, moi, cette belle histoire...

— Allons dans la balançoire, on sera plus tranquilles, lui répondit Bob, tout enthousiasmé.

« Ouf ! soupirèrent Lulu et Gary. On est débarrassés des vieux ! » Elle suivit quand même sa mère des yeux et dans la pénombre elle crut voir l'oncle Bob la prendre par la taille. « J'ai dû mal voir, se dit-elle. C'est impossible ! »

Estelle se pencha vers elle et lui dit à l'oreille : « Avec tout le gâteau qu'il a mangé, la balançoire va bien s'écrouler ! » Les deux cousines étaient crampées de rire, elles avaient retrouvé leur belle complicité.

Alice avait sorti son vieil accordéon et se réchauffait les doigts en faisant quelques gammes. Il y avait si longtemps qu'on ne l'avait entendue jouer ! Chacun lui réclamait les chansons les plus aimées de son répertoire.

— Qu'est-ce que tu vas nous jouer, grand-maman ? lui demanda Lulu.

— Eh bien ! répondit-elle, ce soir je vais vous jouer...

Elle s'interrompit pour prendre une grande respiration et chacun sentit qu'elle était émue.

— ... un très bel air sur lequel, Léon et moi, nous avons dansé la première fois que nous nous sommes rencontrés, il y a plus de quarante ans !

Il se fit un grand silence. « Quarante ans ! pensaient les plus jeunes. C'est à peine croyable !

— C'est un vieux tango argentin, reprit Alice, et

crois-moi, ma petite Lulu, ton grand-père, à cette époque, ne donnait pas sa place sur une piste de danse.

Lulu ne put s'empêcher de rire. Son vieux grand-père qu'elle avait toujours vu marcher à petits pas de souris avait fait la conquête de sa grand-mère sur une piste de danse ! Wow ! Et en dansant le tango !

— Tu n'as pas l'air de me croire, lui dit Alice. Que Maria et Solange me reprennent si je ne dis pas la vérité.

Les deux sœurs de Léon acquiescèrent en souriant et Maria essuya une larme qu'elle n'avait pu retenir.

— Et moi, poursuivit Alice, tu sauras que je me débrouillais pas mal non plus ! J'avais mis, ce soir-là, ma robe noire en dentelle et mes talons hauts. Mes cheveux brillaient comme du feu sur la piste, et tout le monde s'écartait pour nous admirer.

Alice fit taire son accordéon et annonça d'une voix qui se voulait claire et joyeuse :

— Eh bien ! mon vieux Léon, puisque nous ne pouvons plus danser, que nos souvenirs le fassent à notre place. Voici *La Cumparsita* !

Dans le silence qui régnait autour du feu s'éleva la musique ensorcelante du plus célèbre tango du monde. Ses accents langoureux plongèrent les plus âgés au cœur de leurs vingt ans et firent vibrer la corde de leur nostalgie. Les plus jeunes, se tenant par les épaules, se laissèrent bercer par la complainte amoureuse de *La Cumparsita.*

Marie-Claire se colla contre Michel. Paul embrassa

les cheveux de Lison, et Gary entoura de ses grands bras Lulu et Estelle avec qui il avait formé la formidable équipe des 400 Clous.

*La Cumparsita* s'acheva en douceur. On aurait pu croire que grand-papa Léon s'était endormi, mais il ouvrit les yeux, tendit la main vers celle de sa femme et y déposa un tendre baiser.

— Merci, mademoiselle. Puis-je savoir votre nom ? demanda-t-il.

— Je m'appelle Alice.

— Vous êtes très belle, Alice.

Et les deux vieux amoureux s'étreignirent tendrement.

Ah ! l'amour !

Pendant ce temps, dans la balançoire, *uncle* Bob, sans doute troublé par la présence d'Hélène à ses côtés, s'embourbait dans ses explications du Boston Tea Party. Il essayait bien de rassembler ses idées, mais le parfum d'Hélène lui faisait tourner la tête.

— Alors, continua-t-il, le 16 décembre 1773, les patriotes américains qui voulaient protester contre l'Angleterre qui surtaxait des produits comme le thé, prirent d'assaut les bateaux et jetèrent toutes les cargaisons de thé… à la mer !

Bob la regardait si intensément qu'Hélène, un peu gênée, se crut obligée de relancer la conversation.

— Le gouvernement britannique a dû être furieux !

— Oui, ma chère Hélène… (Bob prononça son nom avec une réelle tendresse et garda le silence un moment. Il semblait avoir perdu le fil de sa pensée.) Tout commerce avec Boston fut interdit, reprit-il avec le plus grand des sérieux. Mais les autres villes américaines suivirent l'exemple et jetèrent à la mer beaucoup d'autres cargaisons anglaises de thé. C'est ainsi que les États-Unis finirent par gagner leur indépendance en 1776.

Ouf ! il avait l'air content d'en avoir terminé.

— Je ne savais pas que le thé était la cause de l'indépendance des États-Unis, dit Hélène qui se moquait un peu.

Bob en profita pour se détendre lui aussi et discrètement passa son bras autour des épaules de sa si charmante compagne.

— Peut-être pas seulement le thé, ma chère Hélène, mais ce fut un geste qui eut son importance. Et c'est ainsi que nous, Américains, sommes devenus de grands amateurs de café !

— Oui ! j'avais cru remarquer, Bob, répondit Hélène avec un grand sourire.

*La Cumparsita* se glissa entre eux, et emporté par on ne sait quelle folie, Bob invita Hélène à danser, là, dans ce coin désert du jardin, à peine éclairé par la lumière blanchâtre d'un croissant de lune. Elle accepta sans même hésiter. Fermant les yeux, elle se laissa aller, guidée par

Bob qui l'entraîna dans un tango endiablé. Leur piste de danse était faite d'herbes folles qui frôlaient les jambes d'Hélène comme autrefois les algues du fleuve quand elle nageait avec le papa de Lulu, son cher Lucien.

Les cigales chantaient sans relâche pour faire mentir mémère Tourville et ses sombres présages, et dans le cœur d'Hélène naissait une petite chanson, timide encore, mais ô combien vivante qui prenait forme et tentait de raconter le bonheur de vivre. Elle se mit à rêver à des jours meilleurs dans les bras de Bob et regretta de voir la fin de la musique interrompre un si beau moment.

— Gary ! c'est à ton tour, lui dit Michel. Gary va nous chanter sa dernière composition, annonça-t-il à la ronde.

Tout le monde avait vu Gary arriver le premier jour sous la pluie, tenant précieusement contre lui son étui à guitare, mais personne ne l'avait jamais entendu jouer depuis. Personne sauf Michel, qui l'avait surpris en train de s'exercer, enfermé dans sa chambre, pendant que les filles étaient parties faire des courses avec Fleurette.

Le grand Tourville, qui n'avait jamais vu de vraie guitare de toute sa vie, regardait avec curiosité cet instrument modeste qui ne ressemblait en rien à celle de son idole, le King !

— Où est-ce qu'il va la brancher ? demanda-t-il à Michel. On a pas d'électricité !

— Voyons ! C'est une guitare acoustique ! Sors un peu de ton île, Denis. Il n'y a pas rien qu'Elvis dans la vie !

— J'te dis que c'est pas avec ça qu'il va faire bien du bruit !

Bob, dès les premières mesures, reconnut le style de son fils et se mit à s'agiter dans la balançoire.

— Est-ce que c'est Gary qui joue ? lui demanda Hélène.

— Oui… Ça lui arrive des fois… Sa mère…

Il n'acheva pas sa phrase. Parler de Rachel lui était difficile. Les cours de guitare de leur fils avaient souvent été un sujet de friction entre eux. Bob rouspétait que c'était de l'argent gaspillé et que son rejeton n'avait aucun talent. Rachel prétendait que, au contraire, Gary avait une âme de poète. Bob n'avait jamais compris où elle allait chercher ça !

— Ce n'est pas une guitare électrique, dit-il, un peu gêné, à Hélène qui l'entraînait au coin du feu pour entendre mieux.

Gary avait enlevé son chapeau de cow-boy et l'avait déposé sur la tête de Lulu. Il était beaucoup trop grand pour elle, et elle s'efforçait de ne pas trop bouger pour ne pas le faire tomber. Porter le chapeau de Gary était un signe qui ne pouvait tromper personne. Aux yeux de tous, elle était celle qu'il avait choisie !

— Je vais vous jouer une petite chanson que j'ai

composée sur un air de folklore français que ma mère m'a appris quand j'étais enfant. Comme vous allez tous le reconnaître, chantez le refrain avec moi. Ça s'appelle *À l'île aux Cerises* et c'est sur l'air de *À la claire fontaine.* Tout le monde est prêt ? On y va !

*Quand j'suis venu à l'île aux Cerises*
*Pour mes vacances d'été*
*J'emportais dans ma valise*
*Du chagrin et des regrets*

Sa voix était douce et posée, et les paroles toutes simples venaient droit de son cœur. Même le grand Tourville s'était calmé et écoutait, étonné, les accords mélodieux de cette étrange guitare.

Lulu fut la première à entonner le refrain avec Gary, et leurs deux voix entremêlées étaient si belles que personne n'osait venir se joindre à elles.

*Il y a longtemps que je t'aime*
*Jamais je ne t'oublierai*

— C'est beau, murmura Bob à l'oreille d'Hélène, s'y attardant plus qu'il n'aurait dû.

— Oui ! répondit-elle dans un souffle.

Et dire que sa petite Lulu n'avait jamais pu chanter deux notes sans fausser. « Comme c'est étrange ! » pensa-t-elle.

*Sur la plus haute branche*
*Un merle se moquait*
*Chante petit merle chante*
*Toi qui as le cœur gai*
*Tu as le cœur à rire*
*Moi je l'ai à pleurer*

Lulu sentait que cette chanson lui était particulièrement adressée. Gary n'avait pas besoin de la regarder. Ils étaient unis par un lien qui leur faisait éprouver les mêmes émotions au même moment et dire que Gary ne serait plus là demain ! Qui sait s'ils se reverraient un jour ? « *I love you, baby.* » Voilà ce qui se cachait derrière chaque parole de sa chanson.

*Quand j'suis venu à l'île aux Cerises*
*C'est là que j'ai trouvé*
*Une belle et grande famille*
*Qui a su me consoler*

*Une belle et grande famille*
*Qui a su me consoler*
*Et bien d'autres merveilles*
*Que je ne peux pas vous raconter*

*Il y a longtemps que je vous aime*
*Jamais je ne vous oublierai !*

Le dernier accord de guitare résonna dans la nuit et il y eut un moment de silence avant que tous se mettent à applaudir et à féliciter Gary. On lui réclama d'autres chansons, Alice se joignit à lui avec son accordéon et on veilla tard, très tard cette nuit-là. Les aurores boréales dansèrent dans le ciel comme tous les amoureux de la terre. Ce fut une très belle nuit !

## 12

# Les adieux

Lulu se réveilla à l'aube. Elle avait à peine dormi quelques heures. Dans la lumière blafarde du matin, le fleuve s'étirait paresseusement sous sa couverture de brume. La pluie tombait toute droite, si fine et si translucide qu'on la distinguait à peine. Les Américains repartiraient donc comme ils étaient venus, sous la pluie.

Elle avait espéré qu'il ferait un temps magnifique et qu'elle pourrait, en se levant tôt, entraîner Gary une dernière fois, dans leur cachette secrète, au bout de l'île, là où il lui avait donné son premier baiser. Le mauvais temps rendait leur escapade plus difficile à justifier.

Avant de s'endormir, Lulu avait longuement cherché ce qu'elle pourrait lui offrir en guise de souvenir de leur rencontre. Sa photo d'école où elle se trouvait laide à faire peur ? Certainement pas ! Son foulard rouge ? Ça ne voulait rien dire ! Un galet du fleuve où elle graverait leurs deux noms dans un cœur ? Elle avait déjà essayé et le résultat n'était pas à son goût. Elle abandonna donc cette idée qui jusque-là lui avait pourtant semblé la meilleure.

« Qu'est-ce que je pourrais bien lui donner qui m'appartient et qui ne ressemble à personne d'autre ? » se demanda-t-elle. La réponse lui vint en se regardant dans le miroir. L'humidité de la nuit avait fait son œuvre, et ses cheveux s'enroulaient sur eux-mêmes en un tas de petites bouclettes serrées.

Elle prit les gros ciseaux d'Alice et se coupa une grande mèche qu'elle entoura d'un ruban de soie et glissa dans une enveloppe scellée. Ainsi, Gary emporterait avec lui une partie d'elle-même qui lui rappellerait son petit mouton de l'île aux Cerises !

Il ne restait plus que quelques heures avant son départ et elle se recoucha pour attendre que toute la maisonnée se réveille. « Ah ! Gary ! » soupira-t-elle en fermant les yeux.

Gary, encore couché, mais bien réveillé, regardait la pluie tomber par la fenêtre. Il se sentait aussi triste que le gris du ciel. Jamais il n'avait pensé que ses vacances à l'île aux Cerises bouleverseraient sa vie à ce point. Il y était venu à reculons pour faire plaisir à son père et, aujourd'hui, il en partirait à regret.

Il était amoureux ! Incroyable ! Lui qui avait toujours été terrifié à l'idée d'inviter une fille à sortir avec lui, parce qu'il croyait qu'on allait se moquer de ses boutons ou de ses grands pieds. Loucie n'était pas comme les autres. Elle le comprenait. Elle était sensible et belle… et si joyeuse. Gary serra son oreiller dans ses bras et ferma les yeux pour mieux rêver à sa petite Loucie qu'il aimait à la folie !

*Uncle* Bob, fraîchement rasé, parfumé et portant sa plus belle chemise, finissait sa troisième tasse de café, debout dans la véranda. Il scrutait le ciel à la recherche d'une éclaircie ; c'était peine perdue, le beau temps ne viendrait pas alléger son départ. Il jetait de temps en temps un petit coup d'œil discret vers le chalet des Côté, mais rien ne semblait bouger ; tout le monde devait dormir encore.

Il est vrai que Bob s'était levé bien tôt. La route serait longue et comme il détestait conduire sur des routes trop encombrées, il préférait partir de bonne heure. Il n'osait pas se l'avouer mais il ne voulait pas non plus étirer un départ qui le rendait mélancolique.

Il aurait bien aimé avoir eu le temps de connaître Hélène davantage. Elle lui plaisait beaucoup. Elle était gentille et délicate. « *A very nice lady !* se dit-il. Qui sait ? Peut-être un jour… »

— Encore un peu de café, Bob ? lui demanda Fleurette qui faisait de gros efforts pour paraître bien réveillée.

— Non merci. Je crois que je vais aller saluer Alice et Léon. Je pense qu'ils sont debout maintenant.

Hélène avait si bien dormi qu'elle avait été la dernière à se lever. Elle avait fait sa toilette en vitesse et venait à peine d'achever de s'habiller quand Bob frappa à la porte moustiquaire.

Grand-papa Léon, trop fatigué de sa soirée de la veille, n'osait pas se lever et Alice lui servit son petit-déjeûner au lit. Bob vint lui dire au revoir en essayant de ne pas penser que c'était sans doute un adieu.

— Au revoir, mon cher Léon, je vais prier pour toi tous les jours. Que Dieu te protège !

Les deux hommes se serrèrent la main avec beaucoup d'affection. Bob embrassa Alice et la serra bien fort sur son cœur.

— Si tu as besoin de quoi que ce soit, Alice, tu n'as qu'à me téléphoner.

Lulu assistait, inquiète, au départ de l'oncle Bob ; il avait vraiment l'air de quelqu'un qui allait s'en aller d'une minute à l'autre. Elle n'aurait jamais le temps de parler seule à seul avec Gary ! « Mon Dieu ! faites que le temps s'arrête… juste un petit peu ! » pensa-t-elle. Hélène, qui l'observait depuis un moment, comprit son désarroi et dit :

— Vous pouvez bien vous asseoir un moment, Bob. Il me reste un morceau de *Boston Cream Pie,* je l'ai gardé pour vous. Avec un bon café, ça ne se refuse pas.

— Oui, oui ! dit-il en s'installant à table.

Il n'était pas bien sûr de pouvoir supporter un autre café, mais il ne pouvait résister à l'invitation d'Hélène. Elle était si jolie dans sa robe fleurie ! Un vrai rayon de soleil ! Comme il aurait aimé habiter dans la même ville qu'elle et pouvoir la rencontrer tous les jours !

— Lulu ! prends ton parapluie et va chercher Gary. J'aimerais bien lui dire au revoir, lui demanda Hélène avec son plus beau sourire.

On aurait dit que la pluie n'attendait que ce signal pour faire une trêve. Gary par la fenêtre de sa chambre vit Lulu qui se dirigeait vers le chalet des Tremblay. Il se hâta d'enfiler son blouson et courut à sa rencontre.

— Viens dans le cabanon, lui dit-il tout bas. J'ai quelque chose pour toi.

Gary referma la porte derrière eux et mit le loquet.

L'heure des adieux était arrivée. Un moment important qu'il ne fallait pas gâcher ! Quelques minutes à peine, trop vite écoulées où l'on avait tant de choses à se dire et si peu de mots pour les exprimer !

— Tu m'écriras ? demanda Lulu.

— Je fais beaucoup de fautes d'orthographe, tu vas rire de moi !

— Jamais, dit-elle en se jetant dans ses bras. Embrasse-moi, Gary… comme si c'était la dernière fois.

Elle se hissa sur la pointe des pieds et noua ses bras autour du cou de Gary. Elle lui tendit ses lèvres et ferma les yeux. Gary effleura la bouche de Lulu de son souffle si chaud et y déposa un long baiser que les deux jeunes amoureux auraient voulu prolonger… pour l'éternité.

— J'ai un cadeau pour toi, dit-il en lui tendant sa main.

— Ta chaîne en or ! s'extasia Lulu.

— Promets-moi de la porter jusqu'à ce qu'on se revoie.

— Oui, je te le promets, Gary, dit-elle en la mettant à son cou.

Lulu lui remit l'enveloppe qui contenait sa mèche de cheveux et Gary la glissa précieusement dans sa poche après y avoir déposé un baiser. Puis il prit Lulu dans ses bras et la serra très fort contre lui sans parler, juste pour respirer son odeur et ne jamais l'oublier.

— Regarde, lui dit-il.

La pluie avait cessé et, par les vieux carreaux du cabanon, l'on pouvait voir se dessiner dans le ciel la moitié d'un arc-en-ciel.

— La chance est avec nous. Nous nous reverrons bientôt. Je t'aime, Loucie.

— *I love you too.*

— *Oh ! my baby !*

Ils s'embrassèrent... une dernière fois, puis ils quittèrent le quartier général des 400 Clous, main dans la main. À quoi bon se cacher ? Tout le monde avait deviné qu'ils s'aimaient.

Quand la chaloupe fut remplie de tous leurs effets, les Américains saluèrent tout le monde à nouveau et promirent de donner de leurs nouvelles très bientôt. Grand-maman Alice sortit ses jumelles et l'on observa tous ensemble leur traversée jusqu'au dernier moment.

Lulu les observa tant et aussi longtemps qu'elle put distinguer le père du fils. Quand ils ne furent plus qu'une forme incertaine dans le lointain, elle resta là à regarder le fleuve.

Une fois à bord de sa voiture, *uncle* Bob fit retentir plusieurs fois son klaxon en guise d'au revoir et Lulu se mordit les lèvres pour ne pas pleurer. Hélène, discrètement, se moucha dans son petit mouchoir en dentelle. « Je crois que j'ai attrapé le rhume, je ferais mieux de prendre de l'aspirine », dit-elle en retournant au chalet.

Les jours qui suivirent furent teintés de mélancolie. L'été continuait à être l'été, mais la fête était bel et bien terminée.

Lulu était si triste ! Le départ de Gary lui avait brisé le cœur ! Elle se cachait pour pleurer et embrassait vingt fois par jour la petite croix d'or qui pendait à son cou. Jamais elle n'avait imaginé qu'aimer pouvait faire si mal. Même la douceur d'Estelle ne lui était d'aucun secours. Good Night était le seul qui réussissait à l'apaiser. Il la suivait partout et ses petits yeux tristes étaient sans cesse rivés sur elle. Brave Good Night, qui aurait tant voulu que Lulu retrouve son beau sourire et sa bonne humeur.

— Tu comprends, Good Night, lui dit Lulu qui s'était réfugiée avec lui dans le vieux cabanon, je l'aime tellement, Gary, que c'est insupportable de penser que peut-être je ne le reverrai plus jamais ! Je l'aime d'amour ! Comprends-tu ? C'est sérieux, l'amour ! Je voudrais qu'il soit là, tout de suite ! Qu'il me prenne dans ses bras, qu'il m'embrasse ! Je ne peux pas vivre sans lui ! !

Et Lulu se remit à pleurer de plus belle. Le petit terrier lécha ses larmes et lui mordilla les oreilles jusqu'à ce qu'elle sorte de sa tristesse. La scène se répéta souvent et jamais Good Night ne l'abandonna. Il fut toujours là, à ses côtés, prêt à la consoler et à recevoir ses confidences.

Quelques jours plus tard, une lettre arriva. *Uncle* Bob invitait Hélène et Lucie à leur rendre visite pour le congé de la Thanksgiving. « Gary est très triste, écrivait Bob. Je crois qu'il est amoureux. Votre visite lui ferait vraiment plaisir. Et à moi aussi… *of course* ! »

La mère et la fille répondirent qu'elles acceptaient avec joie l'invitation et qu'elles seraient toutes les deux très heureuses d'aller voir la mer pour la première fois.

Par un après-midi maussade et venteux, Lulu partit seule avec son chien faire une longue promenade qui les conduisit jusqu'au ruisseau où elle l'avait trouvé, trois ans plus tôt. Elle s'agenouilla à l'endroit même où elle l'avait découvert, sale et mal en point, la patte blessée, et tremblant de frayeur.

— Tu te souviens, Good Night ? C'est ici que tu m'es apparu. Je t'avais si souvent vu dans mes rêves. Je t'ai tout de suite reconnu. Même si personne ne voulait me croire, je le savais, moi, qui tu étais. Mon petit Good Night ! La vie nous avait séparés, mais tu m'es revenu parce que j'y ai cru si fort ! Si fort ! Je n'étais qu'une petite fille, Good Night… Je ne le suis plus maintenant…, dit-elle en le déposant par terre.

Le petit terrier avait écouté jusque-là sans broncher. Les pattes dans le ruisseau et le museau dans le vent, il avait la sensation que leur voyage se terminait là où il avait commencé, dans l'eau fraîche de ce petit ruisseau qui se dirige tout doucement vers le grand fleuve qui, lui, va son chemin jusqu'à la mer, jusqu'à la Nouvelle-Angleterre et même bien plus loin encore !

— Je ne suis plus une petite fille, répéta-t-elle doucement, comme pour dire adieu à son enfance.

Lulu s'assit dans l'herbe et le regarda avec un beau sourire. Le petit terrier pencha la tête un peu à gauche puis un peu à droite et jappa trois fois. Lulu ferma les yeux. Quand elle les ouvrit quelques minutes plus tard, Good Night avait disparu.

# Épilogue

Grand-papa Léon s'endormit par un bel après-midi de fin d'été dans sa chaise longue en regardant le fleuve. Il ne se réveilla jamais. Grand-maman Alice était assise à ses côtés et buvait une tasse de thé.

— Alice, est-ce que tu te souviens quand nous sommes allés à la mer ?

— Oui, Léon. C'est si impressionnant, la première fois que l'on croise l'infini !

# Table des matières

AUTRES TITRES AU CATALOGUE

**Boréal Junior**

1. Corneilles
2. Robots et Robots inc.
3. La Dompteuse de perruche
4. Simon-les-nuages
5. Zamboni
6. Le Mystère des Borgs aux oreilles vertes
7. Une araignée sur le nez
8. La Dompteuse de rêves
9. Le Chien saucisse et les Voleurs de diamants
10. Tante-Lo est partie
11. La Machine à beauté
12. Le Record de Philibert Dupont
13. Le Bestiaire d'Anaïs
14. La BD donne des boutons
15. Comment se débarrasser de Puce
16. Mission à l'eau !
17. Des bleuets dans mes lunettes
18. Camy risque tout
19. Les parfums font du pétard
20. La Nuit de l'Halloween
21. Sa Majesté des gouttières
22. Les Dents de la poule
23. Le Léopard à la peau de banane
24. Rodolphe Stiboustine ou l'enfant qui naquit deux fois

25. La Nuit des homards-garous
26. La Dompteuse de ouaouarons
27. Un voilier dans le cimetière
28. En panne dans la tempête
29. Le Trésor de Luigi
30. Matusalem
31. Chaminet, Chaminouille
32. L'Île aux sottises
33. Le Petit Douillet
34. La Guerre dans ma cour
35. Contes du chat gris
36. Le Secret de Ferblantine
37. Un ticket pour le bout du monde
38. Bingo à gogos
39. Nouveaux contes du chat gris
40. La Fusée d'écorce
41. Le Voisin maléfique
43. Le chat gris raconte
45. Vol 018 pour Boston
48. Jean-Baptiste, coureur des bois
50. Le Monstre de Saint-Pacôme
52. Matusalem II
55. L'Œil du toucan
56. Lucien et les ogres
57. Le Message du biscuit chinois
58. La Nuit des nûtons
59. Le Chien à deux pattes
60. De la neige plein les poches
61. Un ami qui te veut du mal
62. La Vallée des enfants
63. Lucien et le mammouth
64. Malédiction, farces et attrapes !
65. Hugo et les Zloucs
66. La Machine à manger les brocolis
67. Blanc comme la mort
68. La forêt qui marche
69. Lucien et la barbe de Dieu
70. Symphonie en scie bémol
71. Chasseurs de goélands
72. Enfants en guerre
73. Le Cerf céleste
74. Yann et le monstre marin
75. Mister Po, chasseur
76. Lucien et les arbres migrateurs
77. Le Trésor de Zanlepif
78. Brigitte, capitaine du vaisseau fantôme

79. Le Géant à moto avec des jumelles et un lance-flammes
80. Pépin et l'oiseau enchanté
81. L'Hiver de Léo Polatouche
82. Pas de poisson pour le réveillon
83. Les Contes du voleur
84. Le Tournoi des malédictions

**Boréal Junior +**

42. Canaille et Blagapar
44. Le Peuple fantôme
46. Le Sandwich au nilou-nilou
47. Le Rêveur polaire
49. La Vengeance de la femme en noir
51. Le Pigeon-doudou
53. Le Chamane fou
54. Chasseurs de rêves

**Boréal Inter**

1. Le raisin devient banane
2. La Chimie entre nous
3. Viens-t'en, Jeff!
4. Trafic
5. Premier But
6. L'Ours de Val-David
7. Le Pégase de cristal
8. Deux heures et demie avant Jasmine
9. L'Été des autres
10. Opération Pyro
11. Le Dernier des raisins
12. Des hot-dogs sous le soleil
13. Y a-t-il un raisin dans cet avion ?
14. Quelle heure est-il, Charles ?
15. Blues 1946
16. Le Secret du lotto 6/49
17. Par ici la sortie !
18. L'assassin jouait du trombone
19. Les Secrets de l'ultra-sonde
20. Carcasses
21. Samedi trouble
22. Otish
23. Les Mirages du vide
24. La Fille en cuir
25. Roux le fou
26. Esprit, es-tu là ?
27. Le Soleil de l'ombre
28. L'étoile a pleuré rouge
29. La Sonate d'Oka
30. Sur la piste des arénicoles

31. La Peur au cœur
32. La Cité qui n’avait pas d’étoiles
33. À l’ombre du bûcher
34. Donovan et le secret de la mine
35. La Marque des lions
36. L’Or blanc
37. La Caravane des 102 lunes
38. Un grand fleuve si tranquille
39. Le Jongleur de Jérusalem
40. Sous haute surveillance
41. La Déesse noire
42. Nous n’irons plus jouer dans l’île